LES ANN

Archibald Joseph Croni … *à Levenford (Ecosse). Médecin dans une région industrielle du pays de Galles, puis inspecteur des Mines (1924), il présente à l'université de Glasgow une thèse sur les anévrismes (1925). Il s'installe à Londres et s'y crée une clientèle importante. Obligé au repos par le surmenage, il écrit pour se distraire* Le Chapelier et son Château *(1931), dont le succès immédiat et considérable se renouvelle avec* La Citadelle *(en grande partie autobiographique),* Les Clefs du Royaume, Les Vertes Années *(qui sera suivi de* Le Destin de Robert Shannon), Sous le regard des étoiles, *etc.*
Romancier populaire dans le monde entier, A. J. Cronin partage dès lors son temps entre écrire et voyager. Il a publié jusqu'ici plus de vingt volumes.

S'il obtient ce poste de secrétaire de mairie que sa mère ambitionne pour lui, Duncan Stirling sait qu'il restera à jamais enterré à Levenford alors qu'il rêve d'être médecin. Le poste lui échappe, car sa rude fierté écossaise l'empêche de courber l'échine devant le Conseil municipal, et sa mère le chasse, mais il est libre enfin d'aller tenter sa chance à St Andrews pour une bourse d'étude et, en chemin, au village de Linton, il se lie avec le docteur Murdoch et sa fille Jeanne dont l'amitié lui sera précieuse.
Il faut cinq ans pour conquérir le titre de médecin. Cinq ans de luttes et de pauvreté qui déboucheront sur quel avenir puisqu'il a un bras atrophié par la poliomyélite ? Son camarade d'enfance et rival Overton le lui rappelle sans ménagement.
Cet obstacle-là n'existe bientôt plus. La chirurgienne célèbre Anna Geisler l'opère, le guérit, le prend comme assistant. La voie est tracée vers la revanche que Duncan compte depuis toujours prendre sur Overton, sur l'existence même, une voie austère jalonnée de hautes responsabilités et d'honneurs. Mais est-ce un but qui en vaut vraiment la peine ? Toutes ces années de travail acharné n'ont-elles pas été des années d'illusion ? Un jour, la question se pose et Duncan devra trouver la réponse.

ŒUVRES DE A. J. CRONIN

Dans Le Livre de Poche :

SOUS LE REGARD DES ÉTOILES.
LES CLÉS DU ROYAUME.
LE JARDINIER ESPAGNOL.
LE DESTIN DE ROBERT SHANNON.
LA DAME AUX ŒILLETS.
LE CHAPELIER ET SON CHATEAU.
LES VERTES ANNÉES.
L'ÉPÉE DE JUSTICE.
LA CITADELLE.
TROIS AMOURS.
L'ARBRE DE JUDAS.
LA TOMBE DU CROISÉ.
ÉTRANGERS AU PARADIS.
DEUX SŒURS.
KALÉIDOSCOPE.
GRACIE LINDSAY.
LA LUMIÈRE DU NORD.
LE SIGNE DU CADUCÉE.
LE CHANT DU PARADIS.

A. J. CRONIN

Les années d'illusion

(The Valorous Years)

ROMAN TRADUIT DE L'ANGLAIS
PAR FLORENCE GLASS

ALBIN MICHEL

PREMIÈRE PARTIE

IL l'aperçut au sommet de la colline quand il fut trop tard pour rebrousser chemin. Passant le lourd panier à son bras valide, il crut pouvoir redescendre vers la rivière, mais ses chiens à elle avaient déjà flairé les siens.

— Duncan! Eh! Duncan Stirling!

Son appel l'immobilisa et il se retourna. Comme elle était jolie avec sa courte jupe de tweed et ses bottes! Ses cheveux étincelaient au soleil. C'était un reproche, une réprimande pour sa fuite.

— Margaret! (*Il tenta de s'excuser.*) Je ne vous avais pas vue.

Des deux mains, elle s'appuya sur sa canne et considéra l'étrange silhouette pauvrement vêtue, le grand front carré, les yeux profonds. Son sourire était provocant.

— Le docteur Euen Overton est à la pêche. Je vais à sa rencontre. Vous ne l'avez pas vu?

Il hocha la tête et elle se mit à rire.

— Vous n'êtes pas très bavard pour un garçon qui est allé en classe avec moi. Je parie que c'est l'idée de votre nouvelle fonction qui vous monte à la tête.

A grand-peine, il réprima sa révolte et acquiesça :

— Une grande chance que j'ai là, n'est-ce pas?

— Vous ne l'avez pas encore, cet emploi, le taquina-t-elle. Pas avant la réunion de ce soir.

Elle se tut, adoucie soudain.

— Voici ce qui vous portera bonheur. Je l'ai trouvée sur le sommet de la colline.

Elle lui tendit une branche de bruyère blanche.

— Merci, Margaret.

Sa voix tremblait. Il prit la branche fleurie et l'enfouit dans la poche de sa veste.

Une voix puissante retentit soudain derrière eux. Overton grimpait dans leur direction, agitant sa ligne en guise de salutations. Déjà, il était près d'eux et ils apercevaient sur son beau visage régulier les gouttelettes de sueur causées par la courte ascension.

— Eh bien! Margaret, petite misérable, je te cherche partout depuis deux heures. En voilà des manières! C'est ainsi que tu laisses tomber ton honorable hôte?

— 'jour, Stirling. Ça a mordu?

— Rien qui vaille la peine d'en parler.

Duncan se sentit immédiatement sur la défensive. Ce parvenu prétentieux qu'il avait si aisément dépassé en classe ne manquait jamais de le traiter avec condescendance.

— Tu n'as sûrement rien attrapé.

Overton se pencha sur le panier de Duncan et s'exclama involontairement :

— Bonne mère! Qu'est-ce que c'est? Cinq, six pièces. Et des grosses! Et moi qui n'en ai pas pris une!

— Veux-tu une truite?

— Et comment!

Overton, ravi, se précipita.

— Prends-les toutes, proposa Duncan aimablement.

— Mon petit vieux, ça c'est chic de ta part. Ça ne te gêne pas?

— Pas du tout. J'attrape les truites quand je veux.

Malgré sa maîtrise de lui-même, Duncan ne put s'empêcher de laisser percer le mépris dans son ton, mais Overton, tout occupé à transférer les poissons tachetés de gris dans son propre panier, n'y prêta aucune attention.

— Tu verras la tête de ton père quand je lui montrerai ce que j'ai pris, dit-il en riant à Margaret.

— Mais, Euen, protesta-t-elle doucement, ce n'est pas toi qui les as attrapées.

— A la pêche et en amour, tout est permis.

Il lui jeta un coup d'œil significatif.

Duncan secoua ses galoches boueuses.

— Allons, il est temps que je parte.

Il siffla son chien, couché dans l'herbe haute.

Overton regarda le chien et une pensée soudaine le traversa.

— C'est Rust, le fameux chien? demanda-t-il.

— Oui.

— Tu as fait du beau travail!

Margaret frissonna au souvenir de l'accident.

— Il devait être en petits morceaux quand ce camion l'a écrasé.

— En effet, répondit calmement Duncan. Mais ils ont bien voulu se recoller.

— Tu devrais te spécialiser dans les puzzles.

D'un sourire, Overton indiqua que le sujet était sans intérêt.

— Bon! Je ne te reverrai sans doute pas. Il faut que je sois de retour à la Faculté jeudi pour le concours Lockhart.

— Les Bourses? s'enquit Duncan.

— Elles-mêmes. (*Overton prit un air important.*) C'est une des terreurs qui hantent les internes de Saint-Andrews! Surveiller chaque printemps sept cents aspirants médecins!

— Il est surprenant que tu en survives!

La voix était si calme que l'amertume sous-jacente passa inaperçue. Quelques secondes plus tard, Duncan s'était éloigné après avoir salué Margaret.

— Quel drôle de type!

— Tu serais drôle aussi si tu avais un handicap comme lui.

Elle sourit.

Tout le long du chemin qui menait à la ville, Duncan se tortura à imaginer le couple formé par Margaret et Overton. Il les vit marcher côte à côte et arriver à Stincher Lodge, le manoir du colonel Scott, père de Margaret. Il vit le grand hall illuminé par les bûches qui flambaient dans la cheminée. Le maître d'hôtel en habit gris sombre servait le thé. On attendrait Joe l'Honnête, surnom du père de Euen Overton et l'homme le plus riche de Levenford. Et Margaret verserait le thé dans les tasses. Overton paraderait alors dans le salon, distribuant le thé et se vantant de ses qualités de pêcheur.

Euen Overton possédait à fond l'art de toujours paraître à son avantage. Fils unique et gâté de Joe l'Honnête, sa bourse était toujours bien garnie et sans doute ce fait contribuait-il pour beaucoup à son arrogance insolente. Mais si ses manières étaient plus affectées que réellement distinguées, il savait le dissimuler sous un sourire désarmant.

Duncan se rappelait combien de fois il s'était aventuré à regarder à la dérobée dans ce hall. Quand il était petit, l'épicier de la ville le chargeait souvent des livraisons pour le « Château ». C'est vrai, Margaret et lui étaient allés à l'école ensemble, mais, dans ces petites villes du Nord, l'académie locale instruisait à la fois la jolie fille du châtelain et le fils infirme de la femme de ménage.

Il atteignit Levenford. C'était une ville laide, s'insinuant entre un estuaire noir, sale, et les aciéries en bordure de la voie ferrée. Il s'engagea dans une rue étroite où il reconnut les spectacles et les odeurs familières de la misère. Comme il les connaissait bien!

Il s'arrêta devant un couloir sombre, souleva le loquet d'une porte vermoulue et entra chez lui. Là, par contraste avec la rue et le quartier, régnaient l'ordre et la tranquillité.

Son père était assis dans un coin de la pièce. Contrairement à l'accoutumée, il était sobre. Depuis dix jours, en l'honneur du grand événement, Tom Stirling s'était maintenu dans une abstinence angoissée.

— Te voilà de retour, dit-il lentement, chauffant entre ses paumes le fourneau de sa pipe en terre. Ta mère met le couvert dans la salle.

Les deux hommes échangèrent un regard de connivence. Sans parole, ils s'étaient parfaitement compris. Le Grand Tom était le bon à rien de la ville. L'ivrogne. Trente ans auparavant, c'était encore un assez brillant jeune homme, secrétaire au Conseil municipal, concierge du collège, intendant au château. A présent, on ne voyait guère plus sa longue silhouette dégingandée qu'entre les marches de pierre qui menaient à l'auberge du Lion Rouge et le zinc à l'intérieur. Depuis un quart de siècle déjà, il ne travaillait plus. Pourtant, son fils l'aimait.

— On tue le veau gras pour toi ce soir, murmura le Grand Tom. Ça fait des années que je n'ai vu ta mère aussi émue.

Duncan regardait fixement la lueur du feu dans le foyer. Il y voyait son avenir sans espoir, toutes voies d'évasion irrémédiablement bouchées. Il entendit soudain du bruit derrière lui et se retourna. Sa mère le regardait.

— J'ai repassé ton costume bleu marine, Duncan. Tu le trouveras sur ton lit. Je t'ai aussi préparé une chemise blanche avec un col bien empesé. Il faut que tu aies bonne apparence, ce soir.

— Bonne apparence!

Il ne put empêcher son ton d'être amer.

Sa mère entrouvrit les lèvres, mais aucune parole n'en sortit. Il était étrange de constater à quel point elle dominait la pièce par son silence. C'était pourtant une femme menue et petite que Martha Stirling. Duncan ne pouvait imaginer sa mère autrement que vêtue de robes élimées et noires, son visage profondément ridé et pâle dans tout ce sombre. Ses mains jointes sur son corsage étaient rouges, noueuses, les crevasses les parcouraient. Comme elles étaient éloquentes, ces mains! Elles disaient les vingt-cinq années de durs travaux, les lessives incessantes, les milliers de parquets brossés et frottés, les innombrables vaisselles graisseuses, les raccommodages, les nettoyages, grâce auxquels Martha avait entretenu son mari et élevé son fils bien-aimé avec un courage farouche et indomptable, une piété sans borne.

— Quand tu reviendras, je te servirai un bon petit souper. (*Ce léger relâchement de sa sévérité trahissait sa tendresse et la fierté qu'il lui inspirait.*) J'espère que tu le mériteras.

Malgré lui, sa réserve habituelle l'abandonna et les mots, dictés par l'urgence du désespoir, se pressèrent à ses lèvres :

— Il m'est difficile de te l'avouer, mère, mais je le dois. Je ne désire pas obtenir ce poste.

— Et pourquoi pas?

La question l'atteignit comme un coup de fouet.

— Parce que je déteste ce travail.

— Tu détestes ce travail? répéta-t-elle avec incrédulité.

— C'est un travail sans intérêt, il ne mène à rien. Si je l'accepte, j'y serai enchaîné pour la vie!

— Tais-toi. (*Elle reprit son souffle avec effort.*) C'est un triste jour que celui où j'entends la position de secrétaire au Conseil municipal calomniée de cette façon! Et pourrait-on savoir quel travail tu aurais aimé faire?

Il répondit avec passion :

— Tu sais bien ce que j'ai toujours voulu faire.

Une lueur de compréhension se fit jour sur son visage et elle s'apaisa. C'est avec commisération qu'elle lui parla alors, comme si elle voulait le détourner d'un rêve puéril et trop beau.

— Mon pauvre Duncan! Je croyais que tu avais chassé pour de bon ces sottises de ton esprit. Il faut que tu te souviennes de ta position dans la vie. Nous ne sommes que de pauvres ouvriers. Et même, si nous avions assez d'argent pour te permettre de faire ce dont tu as envie!... (*Sa voix se chargea d'une pitié encore plus profonde.*) Je sais ce qui est bien pour toi, mon fils. Durant toutes ces années, j'ai travaillé et prié pour que tu puisses un jour occuper cette honorable place que ton père, dans sa faiblesse, a déshonorée. Et, à présent, tu es sur le point de réussir. (*D'un mouvement de tête, elle indiqua que la discussion était close.*) Maintenant, va te changer, mon garçon. Il ne serait pas bon que tu sois en retard.

Duncan étouffa en lui un torrent de supplications. Après tout, sa mère n'avait-elle pas raison? Que pouvait-il faire, lui, dans sa misère matérielle et physique? Il monta rapidement changer ses vêtements.

Là, dans ce grenier qui n'était qu'à lui, ses

regards se tournaient vers les livres sur lesquels il avait tant peiné, parfois jusqu'à l'aube. Bien en vain, tout cela! Des larmes, chaudes et brûlantes, vinrent à ses yeux.

Assis sur la dure banquette de l'antichambre de la mairie, Duncan entendit les voix ternes et les paroles prosaïques venir jusqu'à lui, et son amertume grandit.

Quelle importance avait donc son ambition désespérée? Quelle importance, ce pouvoir, ces facultés d'apprendre qu'il avait en lui, ce don de la science qui motivait chacune de ses pensées, chaque aspiration de son être? Il savait pourtant qu'il possédait un don rare : celui de guérir. Rust, le chien écrasé, était revenu à la vie sous sa main. Un jour, en jouant, un de ses camarades d'école s'était démis l'épaule. Duncan avait encore toute fraîche à la mémoire la façon dont il avait réduit la luxation, grâce à quelques mouvements de son bras valide, et soulagé la douleur de l'enfant en larmes.

La porte s'ouvrit et Todd, l'huissier, lui fit signe.

A travers la fumée de tabac, Duncan vit les conseillers autour de la longue table de chêne. Il ne perçut qu'un seul regard amical : celui du colonel Scott, père de Margaret et président du Conseil municipal. Il y avait encore là Troup, l'entrepreneur des pompes funèbres;

Leggat, l'avocat; Simpson, le pasteur — toutes les petites gens sans importance d'une petite ville. Mais le dernier membre du Conseil n'était pas, lui, une personnalité insignifiante. Joe Overton, Joe l'Honnête, self-made milliardaire et bienfaiteur de l'Église. Sa réussite s'était étendue jusqu'au moindre hameau du voisinage. En le regardant, Duncan sentit qu'il avait là un ennemi.

Le colonel Scott prit la parole le premier. Il sourit à Duncan pour le mettre à l'aise.

— Je suis heureux de vous voir, Stirling... Eh bien! messieurs, je crois que voici notre nouveau secrétaire. Nous connaissons tous Duncan Stirling, ce n'est qu'une formalité que nous accomplissons aujourd'hui.

— Une minute, s'il vous plaît? (*Joe Overton martelait la table de son poing. Ils le craignaient tous et ils connaissaient l'étendue de son pouvoir sur eux.*) Je demande si le candidat convient à l'emploi?

— Oui. Comment cette infirmité vous est-elle venue, Stirling?

C'était le petit entrepreneur des pompes funèbres qui posait la question avec avidité. Il scrutait le bras de Duncan avec une curiosité morbide.

Duncan étouffa la réponse indignée qu'il avait aux lèvres.

— J'ai eu la poliomyélite quand j'avais douze ans.

— Polio quoi?

— La paralysie infantile, espèce d'imbécile, gronda le colonel. (*Il se tourna vers Duncan.*)

— Vous connaissez les conditions. Un engagement de cinq ans, susceptible d'être prolongé — il sourit —, ce qui signifie que c'est pratiquement pour la vie. Et un salaire de trente shillings par semaine pour commencer.

— Pardon, interrompit encore Overton, n'oubliez pas qu'au moment où je mettrai en application mon grand plan d'électrification de Linton, où vous êtes tous intéressés, il nous faudra un secrétaire de confiance.

— C'est vrai, acquiesça le pasteur Simpson en levant les yeux au ciel.

— En effet, continua Overton. Il y a d'ailleurs un autre point que je désirerais soulever. Le père du candidat a occupé autrefois cette position. Quelle garantie avons-nous que son fils ne tournera pas de la même façon?

Il y eut un silence de mort. Duncan sentit une vague brûlante le parcourir. Il comprenait parfaitement la raison de cette venimeuse attaque. Depuis son enfance, dès l'école, il avait osé surpasser Euen Overton, le précieux rejeton de l'homme le plus riche et le plus puissant du pays. On ne le lui avait jamais pardonné.

Soudain, ses nerfs tendus par des semaines

de désespoir, torturés par cet interrogatoire, cédèrent. Il fit face à Joe l'Honnête avec une imprudence audacieuse et furieuse.

— Si nous parlions un peu de votre moralité à vous? (*La voix de Duncan était forte et dure.*) Vous vous posez en défenseur de la communauté et, pourtant, vous ne recherchez sans cesse que votre profit personnel.

— C'est une insulte au Comité ! s'écria Overton.

— Vraiment? (*Duncan criait maintenant aussi fort que lui.*) Comment expliquez-vous que vous ayez acquis un terrain pour une bouchée de pain et l'ayez revendu à prix d'or à la ville afin d'y établir l'usine à gaz?

— C'est un mensonge! protesta Overton, écarlate de fureur.

— Et les vingt mille livres que vous avez gagnées à construire la bibliothèque municipale avec vos briques et votre mortier pourris, est-ce également un mensonge?

— Vraiment, messieurs! balbutia Troup, pris de panique, devrons-nous supporter cela?

Duncan se tourna farouchement vers lui :

— Vous êtes tous dans la combine, et toute la ville est au courant. Tout le monde sait que vous réalisez deux cents pour cent de bénéfice sur les cercueils en bois d'allumette que vous vendez à l'asile.

Pendant un moment, un silence affolé régna dans la salle de réunion du Conseil, puis le tumulte éclata.

Vainement, le colonel Scott essaya de briser l'opposition, de rallier les forces en faveur de Duncan.

— Messieurs, messieurs, ne soyez pas trop susceptibles, c'est le privilège de la jeunesse de dire ce qu'elle pense.

Il fut couvert par les vociférations d'Overton, qui hurlait :

— Vous n'aurez jamais cet emploi ! Tant que je serai ici, vous ne l'obtiendrez jamais !

— Je n'en veux pas, lui jeta Duncan à la face. (*Sur le moment, il ne s'en souciait pas.*) J'aimerais mieux mourir de faim, mais garder le respect de moi-même.

— Vous l'avez dit, vous mourrez de faim, jeta Overton, brandissant le poing. Votre carrière est finie à Levenford. Vous vous souviendrez de cet après-midi quand vous ramperez dans le ruisseau en implorant la charité.

— Vous aussi, vous vous en souviendrez quand mon nom sera connu dans le monde entier.

Cette dernière phrase les laissa sans parole. Ils restèrent immobiles à le suivre du regard.

Dehors, il vit la voiture du colonel Scott. Margaret était au volant. Elle lui fit signe avec insistance : il y avait des larmes de fou rire dans ses yeux.

— Duncan! s'exclama-t-elle. Neil Todd vient de tout me raconter, il a écouté à la porte. J'en suis malade.

Elle recommença à rire de plus belle.

Encore tout à l'émotion que lui avait causée sa violence, Duncan sentait encore son corps trembler et sa mâchoire se serrer. Que Margaret pût ainsi tourner en farce ce qui était pour lui tragédie le heurta péniblement.

— Ce n'est guère une plaisanterie pour moi, Margaret, dit-il sombrement.

— Non, bien sûr. (*Elle se tut un moment.*) Et c'est peut-être stupide à vous de refuser ce poste. Qu'allez-vous faire à présent?

— Je ne sais pas. (*Il serra le poing.*) Mais ce dont je suis sûr, c'est que je vais lutter de toutes mes forces.

Stupéfaite, elle le regarda. Une réflexion apparut dans ses yeux bleus étincelants.

Lui, pendant ce temps, la regardait avec intensité. Comme elle était adorable! En tous points parfaite comme une princesse lointaine. Sa résolution s'affirma : un soudain désir de lui dire ses espoirs l'envahit. Il s'entendit formuler ardemment :

— Margaret, ne vous moquez pas de moi. Toute ma vie, j'ai toujours voulu devenir médecin. Je sais que c'est en moi, il faut que je soigne et que je guérisse : il faudra que je réussisse. (*Il ne lui laissa pas le temps de soulever l'habituelle objection.*) Je sais que j'ai un handicap, mais cela ne m'arrêtera pas. Je serai meilleur médecin que tous les autres.

— N'auriez-vous pas dû penser à cela avant?

— Je l'ai fait. J'y ai pensé à en devenir à demi fou.

Il y eut un silence. La jeune fille sentit ce que cette vocation signifiait pour Duncan et elle fut profondément embarrassée. Elle essaya de temporiser vaguement.

— Si seulement vous aviez pu aller à l'Université de Saint-Andrews. Euen Overton vous aiderait. Nous aurions écrit à mon oncle, qui est doyen de la Faculté, là-bas.

L'intérêt qu'il sentait dans ses paroles le transporta de joie.

— Comme c'est généreux à vous de vouloir m'aider. Mais j'ai mon plan. J'y pense depuis des mois.

— Et quel est-il?

— Ne me demandez rien, lui répondit-il lentement. C'est de la folie. Il y a une chance sur un million pour que je réussisse.

De nouveau, le silence s'établit. Puis elle sourit avec coquetterie, pressa légèrement son épaule pour le rassurer.

— Je suis sûre que tout s'arrangera très bien. Grand Dieu! La lumière s'est éteinte dans la salle du Conseil. La réunion est terminée. Vite, Duncan, il ne faut pas qu'ils vous trouvent ici!

Ce n'était pas ainsi qu'il eût souhaité la quitter, mais il comprit qu'il ne pouvait la compromettre en restant près d'elle. Il eût aimé exprimer en une courte phrase tout ce qu'il ressentait pour elle, mais les mots ne venaient pas à ses lèvres. Il lui serra la main et balbutia un au revoir conventionnel.

En atteignant sa maison, une excitation fiévreuse le parcourut. Lorsqu'il pénétra dans la cuisine, son père cessa de se balancer dans le fauteuil.

— Ta mère est allée à ta rencontre il y a une vingtaine de minutes. Elle ne pouvait plus attendre les bonnes nouvelles.

— Les bonnes nouvelles?

En quelques mots, il raconta ce qui s'était passé. Un étrange silence s'abattit alors, brisé seulement par le tic-tac de la vieille horloge murale. Puis Grand Tom se leva tout droit, tendit lentement son bras et donna à son fils une longue et ferme poignée de main. Aucune parole ne fut échangée, mais étaient-elles nécessaires?

Duncan s'exclama avec véhémence :

— Papa, n'est-il pas important de faire ce qu'on a envie de faire?

— Oui, mon gars, rien ne l'est davantage.

— Père, jeudi prochain a lieu, à l'Université de Saint-Andrews, le concours des bourses. C'est une compétition libre, tout le monde peut y prendre part, aussi bien le fils d'un duc que quelqu'un comme moi. Trois bourses d'études sont offertes. Et n'importe laquelle des trois apporte la liberté, la liberté d'étudier la médecine! (*Il s'arrêta un moment, ébloui, et reprit son souffle.*) Je ne dis pas que j'ai une chance, mais, même si je dois en mourir, je la tenterai.

Grand Tom contempla son fils de dessous ses sourcils couleur de sable. Il y avait de la fierté dans son regard. Il remplit deux verres de whisky et tendit le sien.

— Je bois à toi, mon fils! A Duncan Stirling, docteur en médecine. Dans dix ans, tu seras le meilleur médecin du royaume, et que le diable emporte ceux qui me contrediront!

Il avala l'alcool en une gorgée, puis brisa le verre dans la cheminée.

A ce moment, la porte s'ouvrit brusquement et un coup de vent violent balaya la pièce. Martha Stirling, pâle et tendue, se tenait sur le seuil. Ses yeux étincelants virent immédiatement le whisky sur la table. Ses lèvres se crispèrent.

— J'ai l'impression de vous avoir dérangés! dit-elle.

Grand Tom, déconcerté, murmura une excuse.

— J'aurais dû m'y attendre de ta part! poursuivit-elle amèrement, mais entraîner à la boisson ton pauvre fils!

— Mère! (*Duncan fit un pas en avant.*) Prends garde à ce que tu dis!

— Et toi? As-tu pris garde à ce que tu disais?

Ainsi, elle savait déjà. Ils se firent face pendant un pénible moment. Et le torrent de paroles se libéra.

— Jamais, jamais je ne me serais attendue à cela de mon fils! Après tant d'espoir, tant de prières! Tu n'as plus qu'une seule chose à faire. Tu vas aller chez M. Overton, tu t'excuseras et tu expliqueras que tu retires tout ce que tu as dit.

— Je ne retirerai rien, l'interrompit-il, pas un seul mot. Je suis désolé de te faire de la peine, mère, mais ma décision est prise.

Lisant à travers son regard fixe, elle s'écria :

— Toujours tes sottises, cette folie de vouloir être médecin?

Il acquiesça d'un mouvement de tête.

La colère et la déception la faisaient trembler. Elle qui ne pensait qu'à son bien-être à lui, à son avenir, elle ne pouvait comprendre son obsession.

— Pour la dernière fois, feras-tu tes excuses au Comité?

— Non, mère.

— Alors, tout est fini entre nous. Tu quitteras cette maison ce soir. Et une fois que tu l'auras quittée, n'y reviens jamais.

Grand Tom, allant de sa femme à son fils, essaya de protester, mais elle le repoussa sans ménagements.

— Je pense ce que je dis! Si tu pars maintenant, tu pars pour de bon.

Pendant un long moment, les yeux de Duncan restèrent fixés sur sa mère et il dit calmement :

— Il en sera comme tu veux, mère!

Paralysée par la douleur et l'amertume, la vieille femme resta immobile.

Dans sa chambre, au grenier, Duncan fit un ballot de ses vêtements et de ses livres. Dans la cuisine, en bas, il trouva son père et le chien qui l'attendaient.

Éclaircissant sa voix, Grand Tom fouilla dans sa poche.

— Je veux que tu prennes quelque chose, Duncan, mon gars. Ce n'est pas beaucoup. Je n'ai pas d'argent, mais j'ai toujours ça.

C'était sa montre et sa chaîne qui, avant lui, avaient appartenu à son père. La montre était en or et la chaîne en vieil argent, un trésor qui passait de génération en génération et qui, malgré la misère, n'avait jamais été vendu ou engagé.

— Non, protesta Duncan, je ne peux l'accepter.

Grand Tom obligea son fils à saisir le précieux cadeau et lui exprima son affection d'un pressement de main.

— Adieu, mon fils, et bonne chance!

— Adieu, père!

Duncan souleva son ballot et le mit sur son épaule.

— Adieu, mère! cria-t-il.

Il n'y eut pas de réponse.

Par la route, près de deux cents kilomètres séparaient Levenford de Saint-Andrews, et Duncan en fit vingt cette nuit-là. Vers quatre heures du matin, il s'étendit au bord d'une haie. Les yeux fixés sur un pâle croissant de lune argentée que déchiraient de rapides nuages, il ne pouvait dormir. Dans ses poches, il n'y avait que quelques pièces de monnaie. Il avait rejeté son passé; l'horizon de sa maison lui était désormais fermé. Plus il réfléchissait, plus il se voyait sous les traits d'un jeune fou présomptueux. Il voulait jouer aux dés avec le destin, mais les dés étaient truqués. Son courage, pourtant, était intact.

Le jour suivant, il abattit encore trente kilomètres. Évitant les villes, il avait soin de ne prendre que des chemins de campagne et les sentiers des collines. A midi, il acheta un peu de pain dans un village et fit un frugal repas arrosé de l'eau d'une source voisine. La campagne avoisinante le remplissait de joie. Il ne pouvait en rassasier sa vue. Les montagnes aux pins verts et aux genêts roses, la fraîcheur des prairies traversées par l'eau des rivières qui s'élançaient en gais torrents vers la plaine. Çà et là, les taches claires des fermes blanchies à la chaux, au milieu des petits champs soigneusement cultivés. Près de la route, un troupeau de moutons avançait paisiblement.

Mais dans l'après-midi, au milieu d'un vallon, Duncan sentit les premières gouttes de pluie. En peu de temps, il se trouva sous un déluge. Le vent se leva, pénétrant ses os.

Au crépuscule, il atteignit le village de Linton. L'unique rue en était déserte; le bureau de poste et les magasins étaient déjà fermés; toutes les portes des maisons étaient soigneusement closes. Duncan décida qu'il n'irait pas plus loin et chercha un abri dans le voisinage. Finalement, il s'arrêta devant la maison du médecin du village. C'était une confortable bâtisse de pierre grise et, sur la grille, il lut la plaque : *Docteur Angus Murdoch, Médecine générale et Chirurgie.*

Adjacent à la maison, Duncan remarqua un petit hangar. Frissonnant, il s'y réfugia et, posant son ballot, essaya de se sécher.

Peu après, la porte s'ouvrit et une jeune fille, la tête encapuchonnée d'une couverture, se précipita à l'abri de la pluie. Dans sa hâte, elle le bouscula presque et s'arrêta, l'observant avec surprise.

— Je m'excuse. J'ai pris la liberté de m'arrêter dans votre...

— Poulailler... (*Elle suggéra le mot avec gravité, ses yeux droit dans les siens.*) Je viens de leur donner à manger.

Elle ajouta avec la même simplicité :

— Vous êtes bien mouillé. Venez vous abriter dans la cuisine.

— Non, vraiment.

Son orgueil l'empêchait d'accepter, mais elle insista.

Il la suivit dans le jardin que, malgré la pluie, il devina soigné. Elle ouvrit la porte de derrière et le poussa dans la cuisine. Une petite bonne montagnarde se leva à leur entrée.

— Asseyez-vous près du feu, dit la jeune fille. Quand vos vêtements seront secs, nous vous donnerons à manger. Vous pourrez alors, si vous le désirez, continuer votre route.

Duncan obéit, tout en la regardant. Elle devait avoir dix-huit ans environ; son apparence était nette et soignée, et son corps charmant. Son teint avait la chaleur crémeuse qui indique une santé parfaite. Ses cheveux étaient coiffés avec simplicité. Mais ce qui frappait le plus dans sa physionomie, c'étaient ses yeux profonds qui regardaient choses et gens avec un calme et une douceur parfaits.

Dans l'humeur où se trouvait Duncan, cette tranquillité l'irrita.

— Vous offrez toujours à manger aux clochards qui passent devant votre maison? demanda-t-il.

— Oui. En fait, j'ai cru que vous en étiez un vous-même jusqu'à ce que vous entriez dans la maison. Mais les clochards ne sont jamais effrontés, du moins pas avant d'avoir mangé.

— Je ne pense pas avoir dit que j'avais faim.

— Mais vous avez faim, ne le niez pas.

Il lutta contre une étrange confusion. La cuisine était confortable et l'odeur des mets en préparation le frappa avec force.

— Qu'est-ce qui vous amène par ici? demanda-t-elle. (*Son regard était amical.*) J'aimerais savoir qui vous êtes et où vous allez.

Il ressentit pour elle une vague d'affection, comme si elle avait été sa petite sœur, et lui dit :

— Je vais au collège de Saint-Andrews.

— Pour y étudier (*ses yeux se mirent à briller*) quoi?

Acculé, il répondit :

— La médecine.

Elle frappa dans ses mains.

— Mais c'est merveilleux! Père va être

enchanté quand vous le lui direz. Il va revenir de sa tournée dans quelques minutes.

— Il exerce dans le village? demanda Duncan.

— C'est le seul médecin à des kilomètres à la ronde.

Ils entendirent un crissement de pneus sur le gravier et le claquement d'une portière. Quelques instants plus tard, le docteur Murdoch entrait.

C'était un petit homme grognon à la figure rouge, battue par le vent, creusée par l'âge et le travail. Il avait bien soixante ans, mais sa moustache se redressait encore fièrement et ses yeux gris étaient vifs. Une vieille casquette de chasse lui couvrait la tête jusqu'aux oreilles et il était enveloppé d'une énorme cape qui atteignait presque ses lourdes bottes.

— Jeanne, Jeanne! Le dîner est prêt? J'ai si faim que je mangerais un bœuf.

Il s'aperçut soudain de la présence de Duncan, s'arrêta court et le parcourut des yeux de bas en haut. Tout en se débarrassant de sa cape, il continua son inspection.

— Voyons, voyons, qu'est-ce que nous avons là? Apparemment, encore un malheureux! Jeanne, tu me tueras avec ta porte toujours ouverte. Que Dieu me bénisse! Alors, jeune homme, qu'avez-vous à dire?

— Rien.

Duncan s'était dressé durant la brève harangue, son visage s'était progressivement durci.

— Vais-je accepter cette réponse dans ma propre maison de la part d'un gamin que le vent a poussé dans ma cuisine? aboya le vieux docteur.

— Je peux sortir aussi vite que je suis entré.

Duncan fit un pas vers la porte.

— Stop! rugit Murdoch. Jeune fou obstiné! Croyez-vous que je laisserai dehors un homme ou une bête par une nuit semblable? Je ne faisais que plaisanter. Mais, Dieu du ciel, vous avez un f... caractère! (*Ses yeux gris étincelèrent.*) Et, par ma foi, j'aime ça.

Duncan revint lentement. Il se sentait soudain faible et étourdi. Il chancela, pris d'un tremblement qui le fit claquer des dents.

Murdoch se précipita sur lui et le guida vers un fauteuil. Ses paroles s'étaient faites plus douces à présent :

— Allons, allons! lui dit-il, ça ne va pas? Vous allez attraper une bonne petite pneumonie si vous ne vous changez pas tout de suite. Jeanne! Dépêche-toi un peu et ramène quelques-uns de mes vêtements.

Le réconfort apporté par les vêtements chauds et secs dépassa son attente. Quand Duncan, après les avoir revêtus, se fut lavé les mains et la figure dans l'eau chaude, il se sentit un autre homme, à part qu'il mourait de faim. Le vieux docteur examinait attentivement son hôte.

— Le dîner est prêt, je parie. Pour vous punir de votre insolence, que le diable m'emporte si je ne vous fais pas manger avec nous dans la salle à manger!

Assis à table entre le docteur Murdoch et sa fille, Duncan se trouva d'abord gauche et emprunté. Mais quand on apporta les plats sur la table, il oublia tout le reste et mangea comme jamais il n'avait mangé. On servit d'abord du bouillon à la mode d'Écosse, suivi d'un gigot tendre et juteux, provenant des jeunes moutons de la colline, puis des pommes de terre rôties au four et des navets du jardin du docteur. Comme dessert, une tarte aux groseilles accompagnée de crème fouettée, si épaisse qu'elle ne pouvait se détacher de la cuiller.

Le vieux docteur observait son hôte et une étrange pitié voilait son regard. Il jeta un coup d'œil significatif à sa fille.

— Encore un peu de crème, monsieur? Que Dieu me damne si j'ai retenu votre nom.

— Je me nomme Stirling, murmura Duncan, Duncan Stirling.

— Duncan Stirling, répéta Murdoch. Eh bien! c'est un bon nom écossais, Dieu merci, bien que vous soyez un jeune fou obstiné. Allons, il n'y a rien de tel qu'un bon dîner pour remettre du cœur au ventre.

A la fin du repas, Duncan poussa un soupir de satisfaction, mais, bien vite, il jeta un coup d'œil honteux à son hôte :

— Je crois que j'avais rudement faim!

Murdoch fit claquer sa langue.

— Vous n'avez fait que suivre ma seule et unique ordonnance : " Manger quand on a pris froid et faire la diète quand on a la colique. "

Jeanne fut prise d'un fou rire en entendant son père.

— Excuse-moi, père, dit-elle avec contrition, mais, à propos d'ordonnance, M. Stirling se rend à Saint-Andrews pour y faire ses études de médecine.

— Comment! (*Le docteur Murdoch scruta son visiteur une fois de plus.*) Alors, c'est ainsi? dit-il.

Duncan soutint son regard sans faiblir.

— Oui, je vais essayer. Avec mon bras infirme et tout le reste.

— Vous avez déjà pris vos inscriptions?

— Oui, tout est arrangé.

— Et... euh!... vous avez déjà réglé vos mensualités?

Duncan sourit.

— Vous me surprenez, docteur Murdoch. Croyez-vous que l'on puisse me laisser faire mes études gratuitement dans une université écossaise?

— Non, non, bien sûr. (*Le sourire de Murdoch dissimulait également ses sentiments, mais par devers lui il pensait : " Par Dieu, il y a quelque chose, dans ce jeune épouvantail affamé et orgueilleux, qui me rappelle le bon vieux temps et un jeune garçon nommé Angus Murdoch.* ") De temps à autre, nous allons à Saint-Andrews, dit-il à voix haute. C'est là que j'achète des médicaments et quelques livres. (*Il désigna du doigt les nombreux rayons qui ornaient les murs de la pièce.*) Quand nous nous y rendrons, la prochaine fois, Jeanne et moi, nous irons vous voir. Où habiterez-vous?

Duncan hésita.

— Je... je n'ai pas encore décidé. Il faut que je demande au doyen de me recommander une chambre.

— Le docteur Inglis? poursuivit Murdoch. Je le connais très bien moi-même. De cette façon, partout où vous serez, nous sommes certains de vous retrouver.

Duncan s'aperçut que le rusé petit docteur le perçait à jour, mais, contre son attente, Murdoch abandonna brusquement le sujet.

— A propos de livres, dit-il, si vous êtes tant soit peu intellectuel, vous aimerez peut-être que je vous montre quelque chose dont je suis assez fier.

Tandis que Jeanne quittait la pièce, appelée par ses occupations ménagères, il s'approcha des rayons et garda Duncan sous le charme pendant toute une heure, en lui parlant de ses chers bouquins et en lui montrant ses exemplaires rares.

Finalement, il posa la main sur l'épaule de Duncan.

— Vous allez passer la nuit ici, lui dit-il. Jeanne a préparé votre chambre et Hamish vous conduira à Saint-Andrews demain. (*Il fit taire les remerciements embarrassés de Duncan.*) Je vous en prie, ne parlez plus de cela. Vous êtes plus que bienvenu ici! Maintenant, je vais vous souhaiter une bonne nuit. Il est tard et, d'ailleurs, je vous parie tout ce que vous voulez que je serai appelé au-dehors au cours de la nuit. On attend encore un marmot chez les Davison, à l'embouchure de la Strath. J'en ai déjà mis cinq au monde, je ne voudrais pas rater le sixième.

Quand le vieux docteur l'eut quitté, Duncan se tint seul un moment, une boule d'émotion dans la gorge, puis il alla trouver Jeanne dans la cuisine, où elle finissait ses rangements. Elle le regarda et lui sourit.

— Vos vêtements sont secs maintenant. Je les repasserai et ils seront tout prêts demain matin.

— Merci. Vous êtes... vous êtes si gentille, mademoiselle Murdoch!

— Oooh! le plaisanta-t-elle dans le patois local, faut pas m'appeler mademoiselle, j'suis Jeanne tout court. Mais, pendant que j'y pense, voici une branche de bruyère blanche. Elle est tombée de la poche de votre veste. Je l'ai mise de côté pour vous au cas où ce serait un porte-bonheur.

— Oui, en effet, répondit-il avec chaleur. Pour rien au monde je n'aurais voulu la perdre.

— C'est un souvenir? hasarda-t-elle.

— Il m'a été donné par la plus douce et la meilleure des jeunes filles qui soient au monde.

— Est-ce qu'elle vous aime... beaucoup?

Il se mit à rire, délivré de sa réticence habituelle.

— Quand j'aurai réussi, que je me serai fait un nom et que j'aurai la meilleure clientèle d'Edimbourg, peut-être m'aimera-t-elle? Entretemps, il suffit que je...

Il s'arrêta brusquement.

— J'en suis heureuse, murmura-t-elle, si heureuse pour vous. Un jour, je sais qu'elle sera fière de vous.

La pluie cessa dans la nuit et l'orage s'apaisa. A l'aube, conduit par Hamish, le domestique du docteur, Duncan quitta Linton. De même que la plupart des paysans de la colline, Hamish avait la plus grande méfiance pour les gens qu'il ne connaissait pas. Un grognement qui signifiait : « Il paraît qu'vous allez à l'Université? »

constitua toute la conversation durant le trajet de quatre-vingt-dix minutes qu'ils accomplirent ensemble.

Mais Duncan se réjouissait de ce silence. La bonté de ses hôtes de la nuit précédente l'avait étrangement ému. Cependant, en pénétrant dans les faubourgs de la vieille cité, en bordure de la mer, et en voyant la silhouette des bâtiments de l'Université se profiler en lignes gothiques sur le ciel clair, il ne put réprimer un rapide frisson d'extase.

Tout d'abord transporté de ravissement, il erra autour des enceintes de l'Université. Il ne vit que très peu d'étudiants, l'année scolaire ne commençant que la semaine suivante. Dans le silence présent, les vieux édifices à tourelles ombragées, entourés de pelouses bien tondues, donnaient un sentiment de grandeur et de calme infini.

Neuf heures sonnant à l'horloge du collège le sortirent de sa torpeur et le firent brusquement revenir à la réalité. Il boutonna sa veste et, le menton en avant, se dirigea vers la maison du doyen. Elle était si imposante qu'elle le fit hésiter; mais il agita néanmoins la cloche avec résolution et, quelques instants plus tard, il était introduit dans un salon aux meubles cossus, tapissé d'une épaisse moquette rouge.

Tortillant son béret contre son genou, il s'assit et attendit le docteur Inglis.

— Eh bien! fit ce dernier en entrant.

Sa voix n'était guère encourageante. C'était un petit homme méticuleux. Tout dans son apparence, sa barbiche, son pince-nez d'or et ses cheveux gris soigneusement séparés par une raie, disait l'autorité et la dignité afférentes à la fonction de médecin chef de l'hôpital Victoria et de sous-chef de la nouvelle et importante Fondation Wallace d'Edimbourg. Mais en dépit de son apparence satisfaite, ses yeux avaient un regard harassé et doux.

Debout devant lui, Duncan dit précipitamment son nom et le but de sa visite.

— Ainsi! (*Le doyen s'installa derrière son bureau d'acajou et fit signe à Duncan de reprendre sa chaise.*) D'une façon générale, je ne reçois jamais d'étudiants à cette heure, mais, pas plus tard qu'hier, j'ai reçu une lettre du colonel Scott vous concernant.

Le cœur de Duncan se mit à battre violemment. Avant qu'il pût proférer un mot, le doyen avait repris :

— Bien que ma sympathie soit acquise aux aspirations qui sont les vôtres, il est de mon devoir de vous prévenir...

— Mais, docteur, voulut interrompre Duncan.

Le docteur Inglis leva un doigt avec autorité.

— Chaque année, une armée de jeunes gens ambitieux envahit ce collège. Et chaque année, mon cher monsieur, nous sommes témoins d'un véritable massacre! Dans le concours Lockhart, seuls les dons les plus exceptionnels mènent au succès. Pensez-y. Pour sept cents candidats, trois bourses d'études!

— J'y ai pensé! dit Duncan.

Le doyen leva les mains.

— Dans ce cas, supposons que vous ayez des moyens matériels suffisants pour faire des études complètes et acquérir le grade de médecin, avez-vous pensé à vos limites physiques? (*Il jeta un regard sympathisant au bras de Duncan.*) Ne serez-vous pas relégué dans quelque coin obscur de notre grande profession, comme par exemple l'Administration de la Santé publique, où votre travail sera confiné dans un bureau poussiéreux? (*Il s'arrêta un moment.*) Pardonnez-moi, mon cher monsieur, si je suis franc. Réfléchissez bien! Considérez ce que je viens de vous dire. Ne vous brisez pas la tête contre les murs de l'inévitable. Si, pour quelque raison, il vous est impossible de retourner dans votre ville natale, par égard pour le colonel Scott, je vous trouverai un petit emploi ici, dans un de mes services. Peut-être même pourrais-je vous engager dans ma propre maison, où Mme Inglis me dit que notre situation domestique — la gêne de son regard s'accentua — est quelque peu tendue, et nous pourrions sans doute faire place à un jeune homme de bonne volonté. (*Il conclut d'un geste et d'un sourire aimable.*) Eh bien? interrogea-t-il.

Duncan se leva brusquement.

— Voulez-vous m'indiquer où l'on s'inscrit pour les concours, je vous prie?

On peut dire en sa faveur que le doyen sut cacher son désappointement.

— Dans le bâtiment principal, celui de l'Administration.

— Merci, monsieur.

Duncan s'apprêta à quitter la pièce.

En dépit de ses manières guindées, le doyen ne manquait pas de bonté.

— Voici une liste de logements réservés aux étudiants de la ville, dit-il.

Et il ajouta, une étincelle d'humour dans ses yeux :

— Et que Dieu ait pitié de votre âme!

Duncan accepta la liste avec un mot de remerciement.

Hors de la maison, il se sentit submergé par une vague d'indignation et de fureur. Il alla droit au bureau des inscriptions et se mit, immédiatement après, à la recherche d'une chambre.

Tout d'abord, ses recherches ne furent pas couronnées de succès. Toutes les chambres qu'il visitait étaient trop visiblement élégantes et chères. Mais, finalement, il découvrit, dans le vieux quartier, près du port, dans une petite rue habitée par les pêcheurs, parmi les tonneaux de goudron et les filets de pêche, envahie par les odeurs de sel, de mer et de harengs, une petite maison où, près de l'escalier extérieur, il vit une pancarte : " Chambre à louer. "

Mrs. Galt, la propriétaire, vint lui ouvrir. Elle le considéra avec une sévérité mélancolique tout en essuyant ses mains sur le sac qui lui servait de tablier. Duncan vit une petite femme, les cheveux embroussaillés, à l'expression si exagérément triste qu'elle en était presque comique.

— Oui, dit-elle, j'ai une chambre à louer. Elle n'est pas bien belle et elle est tout en haut de la maison, mais je n'en demande qu'une livre par semaine.

Il la suivit dans la maison. C'était, comme elle l'avait dit, une toute petite pièce, mais elle était propre et sa vue donnait sur l'océan, les toits des maisons, la ville et les tourelles du collège. Il retint la chambre.

Le fatal jeudi n'arriva que trop tôt. Quand Duncan fut assis à sa table dans la grande salle de la Faculté de Médecine, la tension de l'attente, l'intolérable angoisse lui rendirent les mains moites de transpiration.

Il contempla les rangées de petits pupitres de

bois clair, tous semblables au sien, tous occupés par un candidat comme lui. Des centaines de jeunes gens, tous préparés à la lutte, à la compétition sans merci avec lui. Quelle chance avait-il parmi tous ceux-là?

Avec effort il fixa ses regards sur la chaire élevée où siégeaient les deux examinateurs. S'agitant autour d'eux, il vit les professeurs stagiaires et les étudiants de dernière année, vêtus de longues robes. Parmi ces derniers, il distingua Euen Overton.

En entrant dans la grande salle, Duncan l'avait tout de suite aperçu, mais Euen ne l'avait honoré que d'un vague signe de reconnaissance, comme s'il avait voulu lui dire : " Ne compte pas sur nos relations passées. " Il lui eût pourtant été si aisé de sourire et de chuchoter : " Bonne chance, Stirling, tâche de réussir. "

On distribuait déjà les sujets. Duncan se saisit nerveusement de sa plume. Il lui sembla qu'une éternité d'angoisse s'écoulait jusqu'au moment où il reçut sa feuille : c'était une interrogation de mathématiques.

Évidemment, c'était difficile, mais pas au-dessus de ses connaissances. Il oublia le monde autour de lui, le grincement des plumes, les froissements du papier et il commença à répondre aux questions de cours.

A 11 heures, on ramassa les copies et on

distribua la deuxième matière. Interrogation de grec. Duncan avait perdu toute nervosité dans la fièvre de l'effort. A 13 heures, on annonça la pause pour le déjeuner. Duncan se leva, tout étourdi, et suivit les autres. La plupart se réunissaient en petits groupes, échangeant des plaisanteries et des commentaires sur l'examen.

Duncan se tint sur l'escalier et vit Overton hésiter, puis se décider à s'approcher de lui.

— Tu te sens plutôt perdu, ici, Stirling?

Duncan acquiesça, les yeux droits sur son interlocuteur.

— Quelle solution as-tu donnée à ton deuxième problème de trigonométrie?

Duncan s'expliqua. Le sourire d'Overton se fit condescendant.

— Oui, je pensais bien que tu te tromperais là. Maintenant, je dois aller déjeuner chez le docteur Inglis. Il faut que je me dépêche.

Après un signe de tête, il disparut.

Duncan, empli d'un secret désespoir, murmura :

— O Dieu, faites qu'un jour tout le monde voie que je le vaux!

Deux heures sonnèrent le signal de l'interrogation de latin. Puis ce fut l'épreuve d'anglais, suivie d'une demi-heure de pause.

Une fois de plus, Duncan, oubliant de manger, sortit un de ses manuels. La dernière matière à examiner dans la journée était l'histoire, c'était là qu'il se sentait le plus faible.

Pris de désespoir, il ouvrit son manuel au hasard. Il tomba sur le chapitre qui traitait de la Révolution française de 1789, et plus particulièrement, sur un passage consacré à Robespierre.

Forçant son cerveau fatigué, il lut avec attention jusqu'à ce que la cloche l'appelât à nouveau dans la salle des examens.

La principale question imprimée sur la feuille était : " Faites une dissertation sur l'homme d'État Robespierre. " Duncan laissa échapper un soupir qui ressemblait à un sanglot, et se mit à écrire avec furie.

Et puis ce fut terminé. Dehors, il faisait froid et sombre, les réverbères donnaient une lumière étoilée que Duncan avait toujours aimée. Il se sentit épuisé comme s'il avait poursuivi une lutte inutile durant des heures et des heures.

Il grimpa les escaliers qui menaient à son pigeonnier, se dévêtit en un clin d'œil et sombra, aussitôt couché, dans un sommeil de plomb.

Le lendemain, il s'éveilla tard, l'esprit embrumé d'une espèce de langueur. Toute la journée, il erra dans la vieille cité, observant les bateaux, le marché aux poissons, les mouettes qui volaient autour de l'eau. Il ne pensait plus au concours et à ses résultats, qui devaient être annoncés le lendemain.

Le jour suivant, un pressentiment de catastrophe l'envahit dès le réveil. Il n'osait se résoudre à aller à la Faculté, et pourtant, il ne pouvait pas non plus se décider à ne pas y aller. Tourmenté et malheureux, il s'attarda tout d'abord dans la cour et s'arrêta à la contemplation d'une énorme statue de bronze en souvenir du docteur John Hunter, physicien célèbre dans le monde entier et enfant prodige de l'Université de Saint-Andrews.

Plus il regardait le vieil homme renfrogné, plus Duncan se sentait envahir par le désespoir. Soudain, il entendit une voix près de lui. L'un des concierges du collège lui demandait avec suspicion ce qu'il faisait là. Duncan sursauta.

— J'attends les résultats du concours des bourses.

— Ah bah! Ça fait trois heures qu'ils sont affichés, fit remarquer l'homme avec brusquerie.

Un frisson parcourut Duncan. Il ne sut jamais comment il avait atteint le bâtiment où étaient affichés les résultats, mais il y fut en moins de temps qu'il ne faut pour le dire.

Durant un bon moment, il lui fut impossible de lever les yeux sur la liste dactylographiée épinglée sur la porte. Il se sentait comme un homme condamné à mort, qui sait que le recours en grâce n'a pas été accordé et qui n'ose plus rencontrer le regard du gardien. Mais avec un effort désespéré, il regarda.

Le premier nom sur la liste fatale n'était pas le sien. Il le savait. Une douleur brusque le traversa. Le deuxième nom non plus, ce n'était pas le sien. Il l'avait su également. Mais le troisième — son cœur s'arrêta presque de battre — le troisième nom, mais c'était le sien! " Duncan Stirling, de Levenford. "

Il avait réussi! Il ne pouvait y avoir d'erreur! Là, tapé en rouge, c'était l'évidence. Le miracle était arrivé. Il avait gagné une bourse d'études!

En quittant la Faculté, une grande émotion l'étouffait. Avec force, il songea à Margaret Scott. Si seulement elle était ici! Il allait lui écrire immédiatement. Comme elle se réjouirait de son succès! En arrivant devant la statue de John Hunter, il s'arrêta et, étendant son bras valide, il dit à haute voix :

— Maintenant, John Hunter, je suis en route! J'irai te rejoindre sur ton socle.

Dès qu'il fut arrivé à la maison où il logeait, il se précipita dans la cuisine. Le premier choc de l'incrédulité était maintenant remplacé par un sentiment d'exaltation. Il fallait qu'il annonce la nouvelle à quelqu'un, ou bien il éclaterait. Il saisit Mrs. Galt par la taille et lui fit faire le tour de la pièce en valsant.

— Ça y est, Mrs. Galt. J'ai réussi. J'ai été reçu aux bourses!

Elle tenta de se dégager.

— Pour l'amour de Dieu, êtes-vous devenu fou?

— Ne comprenez-vous pas?

Il la souleva du sol.

— J'ai réussi! J'aurai assez d'argent pour payer mes études pendant cinq ans! Je serai docteur!

— Lâchez-moi, vaurien, cria-t-elle, ou sans cela, c'est tout de suite que nous allons avoir besoin d'un médecin, vous et moi!

Elle reprit son souffle.

— Ah! pendant que j'y pense, il est arrivé un gros colis pour vous, juste avant que vous ne rentriez!

— Un colis!

En un éclair, il grimpa les marches qui menaient à sa chambre et défit la corde d'un grand paquet. Il en sortit toutes sortes de provisions et de friandises et une épaisse pile de livres — anatomie, chirurgie, biologie. Attachée à la pile, il vit une enveloppe, qu'il s'empressa de décacheter. La lettre était datée du jour même et venait du docteur Murdoch, à Linton.

Cher Professeur,

Nous n'avons cessé de penser à vous et nous avons appris la bonne nouvelle par téléphone avant même que vous la connaissiez vous-même. Dieu seul sait pourquoi les examinateurs ont commis la sottise d'accorder une bourse à un ignorant tel que vous. Mais enfin, même dans les universités les mieux régies, de telles erreurs se produisent tous les jours. Si vous ne profitez pas de celle-ci, vous n'êtes pas le garçon que je pense que vous êtes. En attendant, si vous voulez en croire un vieil homme, ne vous laissez pas bourrer le crâne de toutes ces idioties que, sous prétexte de progrès, on vous enseigne maintenant dans les facultés de médecine. Gardez votre œil clair et souvenez-vous toujours des principes élémentaires et surtout, tâchez de vous servir de votre bon sens écossais, sacrebleu!

En attendant, nous prenons la liberté de vous envoyer par Hamish quelques petites choses qui vous garderont de bonne humeur. Vous trouverez aussi certains de mes manuels. Je ne les lis jamais, ils ne valent pas un sou. Ne vous laissez pas farcir la tête, mon garçon, et venez souvent nous voir, espèce de mauvaise graine écossaise! Et que Dieu vous bénisse!

MURDOCH.

Les mots se brouillèrent sous ses yeux. Il s'assit sur son lit et, pour la seconde fois de la journée, une vague de bonheur le submergea.

DEUXIÈME PARTIE

TANDIS que Duncan, au sortir d'un cours, se hâtait vers la maison du docteur Inglis, il pensait aux dernières années qui venaient de s'écouler et il lui semblait qu'elles avaient passé aussi vite qu'une feuille au vent. Il était maintenant étudiant de cinquième année, et il avait son dernier examen cet hiver. Dans quelques semaines, il posséderait son titre de médecin!

La lutte l'avait marqué. Au début, il avait pu compléter l'argent de son entretien par du travail de comptabilité dans un magasin de la ville, mais plus tard, il avait dû faire fi de sa fierté et accepter l'offre du doyen lors de son arrivée à Saint-Andrews. Depuis trois ans, il travaillait après ses cours comme domestique dans la maison du docteur Inglis. Peu à peu, il avait appris à connaître et à aimer le doyen. Il avait su déceler, sous la cuirasse de dignité et d'autorité, la bonté timide et aimable. Mais, hélas! Mme Inglis était une femme mesquine, elle lui menait la vie dure et il gagnait tout juste assez pour payer son loyer et ne pas mourir de faim.

Arrivé devant la maison du doyen, il entra par la porte de service, substitua un tablier bleu à sa veste et commença la routine des besognes habituelles : couper le bois, monter le charbon de la cave, remplir la chaudière, nettoyer les dalles de la cuisine. C'est à cette dernière tâche que Mme Inglis le trouva. C'était une grande femme à la poitrine proéminente, habillée avec trop de recherche. Quand elle s'adressait à lui, son ton était toujours agressif et hautain :

— Stirling, allez faire du feu dans le salon.

— Bien, madame.

Elle lui jeta un regard dur.

— Plus vite que ça! Ma nièce me rend visite.

Il était maintenant habitué aux petites humiliations qu'elle lui prodiguait. Saisissant un seau de charbon, il se rendit dans le salon, et là, assise sur le canapé, un livre à la main, il découvrit Margaret Scott!

Immédiatement, il s'immobilisa. Tout l'amour qu'il avait enfermé en son cœur pour elle s'élança brusquement vers la jeune fille. Pendant quelques instants, elle ne comprit pas qui il était.

Puis brusquement, elle s'écria :

— Mais c'est Duncan!

L'amusement remplaçait maintenant la surprise et son rire éclatant fusa. Finalement, elle reprit son sérieux :

— Oh! excusez-moi, mais je ne savais pas que vous étiez la seconde femme de chambre!

La tête penchée, elle l'observait.

— Vous avez changé depuis que je ne vous ai vu.

— En mieux, j'espère.

— Père parlait justement de vous l'autre jour. Nous ne nous voyons jamais.

Duncan se redressa. Les flammes crépitèrent joyeusement. Cette dernière remarque avait fait germer une folle idée dans son esprit. Il dit rapidement :

— C'est tout à fait vrai, Margaret, il y a des siècles que je ne vous ai vue. Accepteriez-vous de venir prendre le thé demain?

Margaret sembla stupéfaite :

— Où? Chez vous?

Incapable de proférer un mot, Duncan fit signe que oui.

Elle n'arrivait pas à le bien comprendre, mais elle pensa que ce serait peut-être drôle de voir comment vivait cet étrange garçon. D'ailleurs, il était vraiment mieux qu'avant. C'est fou ce qu'il avait changé!

— Je ne peux pas venir demain, dit-elle, je dois sortir avec le docteur Overton.

Il resta silencieux. Plus que jamais, le nom d'Overton soulevait en lui un courant d'hostilité. Depuis le succès de Duncan au concours Lockhart, ce dernier n'avait cessé de l'ignorer ou, dans les rares occasions où ils s'étaient trouvés face à face, Overton l'avait traité avec un mépris hautain.

— Mais je pourrai... après-demain, ajouta Margaret.

En rentrant chez lui, ce soir-là, Duncan était encore transporté de joie. Il escalada les escaliers à toute allure, mais, au deuxième étage, il s'arrêta brusquement. Quelqu'un jouait du piano. Le nouveau locataire, sans doute, dont Mme Galt lui avait parlé. Il resta dans l'ombre à écouter. Bien qu'il ne fût pas connaisseur, il sentit que c'était beau. D'ordinaire, il aurait été trop timide pour faire les premiers pas, mais, ce soir, le bonheur qu'il sentait en lui l'emporta sur sa retenue. Il frappa à la porte et, quand on lui dit d'entrer, il tourna la poignée.

— Je passais et j'ai pensé que je devais me présenter. Vous êtes le docteur Geisler, n'est-ce pas? Je m'appelle Duncan Stirling, j'habite à l'étage supérieur.

Tout en continuant, la jeune femme au piano tourna la tête et l'inspecta de la tête aux pieds. Elle devait avoir vingt-huit ans. Ses yeux étaient sombres dans un visage pâle, assez ordinaire, mais ils avaient une expression triste et pleine de défi à la fois qui retenait l'attention. Son pantalon de gabardine bleu marine lui moulait les hanches. Ses pieds nus jouaient avec des babouches marocaines en cuir rouge et usé. Ses cheveux noirs et embroussaillés étaient coiffés sans la moindre recherche. Jamais il n'avait vu une femme si dédaigneuse de sa qualité de femme, si indifférente à son apparence.

Elle termina sa phrase musicale et se leva brusquement.

— Ah! oui, dit-elle froidement, l'incomparable étudiant en médecine! Depuis que je suis arrivée, j'ai dû écouter Mme Galt chanter vos louanges.

Il se mit à rire et regarda autour de lui. La chambre, bien que meublée simplement, avait une qualité étonnante : l'unique tableau au-dessus de la cheminée — une tache verte et ocre —, le divan recouvert de satin crème, le piano droit en marqueterie, tout cela formait un ensemble plein de charme qu'on ne se serait guère attendu à trouver sous ce toit modeste.

Il ne put s'empêcher de remarquer :

— Vous avez bien arrangé ça. Je suppose que ces choses vous appartiennent?

Le visage du docteur Geisler redevint dur.

— Ce qu'il en reste, oui.

Duncan détourna son regard. Il savait déjà qu'elle était réfugiée d'Autriche et qu'elle avait exercé à Vienne. Elle venait diriger le nouveau service de chirurgie orthopédique créé par la direction de la Fondation Wallace.

Avec la même froideur cynique, elle continua :

— Quand on veut quitter un pays, on est content de le quitter, de n'importe quelle manière.

— Oui, acquiesça-t-il, j'en suis sûr.

— J'aime cette vieille maison, dit-elle, après un moment de silence. C'est tellement différent de la Vienne d'aujourd'hui. (*Elle secoua la tête comme pour en chasser un souvenir.*) Mon piano ne vous dérangera pas?

— Non, oh! non, répondit-il rapidement. J'aime ça, c'est joli, le petit air que vous jouiez quand je suis entré.

— Petit air! le parodia-t-elle en haussant les sourcils. C'était du Schumann. Un brave petit bonhomme, il est mort à l'asile d'aliénés comme tant d'autres.

Elle rejeta la tête en arrière, les yeux au plafond, ses traits s'estompant dans l'ombre. Ses doigts effleuraient doucement les touches.

— La musique? De la drogue, voilà ce que c'est pour moi. Venez en prendre un peu quand vous voudrez, si vous n'êtes pas trop occupé. Il ne faut pas que je vous fasse peur.

Il était congédié d'une façon brusque et impersonnelle, mais assez étrangement, il n'en était pas froissé. Il sentait qu'il n'y avait pas d'animosité derrière son attitude.

— Bonne nuit, docteur Geisler, dit-il, j'espère que nous serons amis.

En montant chez lui, la musique le poursuivit.

L'heure fixée pour la visite de Margaret arriva enfin. Duncan avait emprunté à Mme Galt une nouvelle nappe blanche et un vase dans lequel il avait disposé quelques roses. Il avait préparé des petits fours, du cake et un pot de confiture de fraises. Évidemment, son budget, établi centime par centime, n'avait pas résisté à de telles orgies et, le désespoir au cœur, il avait dû se résoudre à engager la chaîne et la montre que son père lui avait données en le quittant.

Quand toutes ces friandises furent disposées sur la table, il resta à les regarder, le cœur battant, et, bientôt, il entendit le pas rapide de Margaret. Une minute plus tard, elle était dans l'encadrement de la porte. Duncan fut d'abord incapable d'articuler un mot, tant il était ému. Il ne pouvait que la regarder et ses yeux disaient clairement à quel point il la trouvait ravissante. Et, en vérité, elle était bien jolie avec sa courte veste de vison, ce petit chapeau coquin planté sur l'œil et son manchon en vison également. Le froid avait animé ses joues roses et ses yeux étincelaient comme des étoiles.

— Oh! Duncan, quelle drôle de petite chambre! dit-elle en lui donnant une main légère. (*Le nez comiquement froncé, elle regardait tout autour d'elle.*) Vous vivez vraiment ici? Mais on ne pourrait y promener un chat!

Duncan se sentait à présent parfaitement heureux.

— Mais je n'ai pas de chat!

Cette présence transformait sa chambre en palais. Il lui servit une tasse de thé et ne put s'empêcher de lui dire du plus profond de son cœur :

— C'est un grand événement pour moi, Margaret, que votre visite ici. Je ne peux vous dire combien... (*Il s'arrêta.*) Mais je vous ennuie. Un petit morceau de gâteau?

— Vous ne m'ennuyez pas, Duncan. J'aime beaucoup qu'on me dise des choses gentilles, quand elles me concernent tout spécialement. Mais excusez-moi si je ne prends pas de gâteau. Euen — le docteur Overton — m'a fait une telle conférence hier soir sur les carbohydrates, que je ne puis plus manger depuis. C'était d'ailleurs plutôt mesquin de me parler de ça en m'offrant du champagne et de la langouste... Mais vous étiez en train de me dire quelque chose... A mon sujet... Qu'est-ce que c'était?

— Oh! rien.

— Je vous en prie.

— Eh bien! hésita-t-il, ceci simplement : j'ai toujours désiré vous dire quelle inspiration vous avez été pour moi pendant toutes ces années où j'ai travaillé dans cette misérable petite chambre.

— Vous êtes un ange! s'exclama-t-elle,

ravie. Donnez-moi encore une tasse de thé et parlez-moi encore de ça.

Un bonheur intense envahit Duncan. Cet après-midi dépassait tous ses espoirs. Il se disposait à remplir la tasse de Margaret quand des coups violents ébranlèrent soudain la porte et une forte voix retentit.

— Es-tu chez toi, Duncan, mon gars?

Il y eut un silence gêné. Puis Duncan demanda :

— Qui est-ce?

Mais, en lui-même, il connaissait déjà la réponse.

— C'est ton père qui est venu te voir.

Son père! C'était bien la dernière personne qu'il se serait attendu à voir à ce moment-là. Il se leva avec contrainte, mais n'eut même pas le temps de s'avancer vers la porte. Celle-ci s'ouvrit avec fracas et le Grand Tom, suivi de Rust, fit une apparition chancelante. Bien entendu, il avait bu, mais son visage de pleine lune rayonnait d'amour paternel.

— Comment ça va, mon gars? (*Un hoquet l'interrompit.*) J'ai eu l'occasion de venir par le car et je n'ai pas pu résister. Ça fait des mois que je me languis de toi!

Il s'avança et serra Duncan dans ses bras. Rust témoigna son approbation et sa joie par des bonds démesurés.

C'en était trop pour la petite pièce. Un nouveau geste incertain de Tom, et le vase de roses alla s'écraser sur le sol.

— Nom de nom!

Légèrement calmé par le fracas, le Grand Tom se retourna.

— Tiens, je ne savais pas que tu avais de la visite. Ça, alors, Miss Margaret elle-même! Je peux dire que je suis bien content et fier de vous voir ici!

Il tendit sa main. Margaret, hautaine, l'ignora.

— Assieds-toi, père! (*Torturé de honte, Duncan saisit son bras et le poussa vers une chaise.*) Tu as besoin d'une tasse de thé.

— Du thé? (*Le Grand Tom éclata d'un gros rire jovial.*) Je connais quelque chose de bien meilleur.

Avec un clin d'œil complice à Margaret, il sortit de sa poche une bouteille.

— A votre santé, miss.

Margaret se leva brusquement, enfilant ses gants.

— Je suis obligée de partir.

— Je vous en prie, pas encore, supplia Duncan. (*Sa voix était pleine d'angoisse.*) Père, essaie au moins de boire un peu de thé.

— Je t'ai déjà dit, Duncan, que je ne veux pas de ton thé. J'aime mieux faire un brin de causette avec ton invitée.

Margaret se dirigea vers la porte.

— Faut pas que vous partiez à cause de moi! s'écria le Grand Tom, bouleversé.

Pour mieux marquer ses protestations, il tenta de l'arrêter en lui attrapant le bras. Ce fut un geste fatal. La tasse que tenait Duncan se trouva balayée dans le mouvement et la veste de Margaret fut aspergée de thé.

Un silence pénible envahit la pièce. Margaret pâlit de rage et d'énervement. Quant à Duncan, désespéré, il resta cloué sur place.

— Oh! Margaret, articula-t-il, je suis désolé!

— Il y a de quoi, siffla-t-elle avec rage. Je suis venue ici pour boire du thé, pas pour qu'une espèce de rustre complètement ivre me le jette à la figure.

Que dire? Déchiré entre ses deux affections, il ne sut que rester muet, souhaitant que le sol s'entrouvre et l'engloutisse.

Peut-être eut-elle conscience de sa douleur, mais ses sarcasmes n'en restèrent pas moins cinglants :

— Merci pour ce charmant après-midi, tout était réellement parfait!

Quelques secondes après, elle avait disparu.

Le Grand Tom, médusé, avala une autre gorgée d'alcool. Il soupira :

— J'ai l'impression que tu n'es pas content de me voir, mon fils.

— Tu sais bien que si, papa, le rassura rapidement Duncan. C'est simplement que... Oh! à quoi bon?

— Tu peux le dire, à quoi bon! grogna le vieil homme. Oh! Seigneur, pourquoi suis-je venu? Personne ne veut de moi! Mon propre fils a honte de moi!

Duncan sentit sa patience à bout.

— Père, dit-il fermement, il faut que tu te couches!

Il saisit son père par l'épaule et l'aida à gagner le lit. Le Grand Tom bâilla et essaya de dire quelque chose, mais il n'en eut pas le temps. Tout d'un coup, il s'était endormi.

Duncan considéra le grand corps étendu, le visage pitoyable.

Il arrangea les couvertures le plus confortablement possible, puis il quitta la pièce avec une seule pensée : oublier.

A l'étage au-dessous, la porte était ouverte et la voix du docteur Geisler l'arrêta :

— C'est vous, Stirling? Venez une minute.

— Je vais en ville, répondit-il avec brusquerie.

— Où donc?

— Je ne sais pas.

— Entrez et tenez-moi compagnie.

Il entra à contrecœur.

— Dites donc, vous en avez eu des invités, là-haut! dit-elle. J'ai vu descendre votre jeune amie.

Elle s'arrêta.

Il éclata d'un rire amer et il lui dépeignit la situation en quelques traits acides.

— Eh bien, eh bien! commenta-t-elle, il n'y avait pas de quoi en faire un drame! Dites-moi, en voulez-vous à votre père?

— Non, c'est à moi que j'en veux. A quoi voulez-vous vous attendre d'un imbécile qui n'a qu'un seul bras par-dessus le marché?

— Allons, ne faites pas de complexes. Ça n'en vaut pas la peine.

Elle se mit au piano et, tandis qu'il s'asseyait devant le feu qui brûlait gaiement dans la cheminée, elle joua pour lui. Insensiblement, tandis que la mélodie envahissait la pièce et se mêlait aux craquements des bûches, il sentit une quiétude le pénétrer. Quand elle eut terminé, il était de nouveau en paix.

— Alors, vous voulez toujours vous enfuir?

— Non. Vous savez bien que je veux continuer, faire des choses... de grandes choses en médecine.

— Vraiment? Le travail vous intéresse?

— Passionnément! Vous jouez merveilleusement.

— Ça fait du bien à mes doigts, ça les rend forts, souples. N'oubliez pas que je suis chirurgien.

— Je l'avais presque oublié. Bien qu'en fait votre nom me soit familier. Il y a un docteur Geisler très réputé en Autriche, docteur Anna

Geisler. Elle a écrit un livre extraordinaire sur la chirurgie moderne. Est-ce une de vos parentes?

— Pas tout à fait. Je suis le docteur Anna Geisler!

Tout d'abord, Duncan crut qu'elle plaisantait, puis l'indifférence de son attitude le convainquit et il resta sidéré. Ainsi, c'était elle le brillant docteur Geisler, des Facultés de Heidelberg et de Vienne!

— Seigneur, bégaya-t-il, moi qui vous raconte mes petites histoires insignifiantes, à vous, vous dont les travaux sont connus du monde entier!

— Vous me flattez.

— Non, sûrement pas. J'en suis encore stupéfait.

Elle considéra la pointe flamboyante de sa cigarette.

— Ce n'est rien à côté de ce que je prépare. Quand j'en aurai fini avec ce petit travail de douze mois, la Commission — et votre ami le doyen Inglis en particulier — m'ont fait entrevoir une grande possibilité à Edimbourg, à la Fondation Wallace. Alors, on entendra parler de moi. (*Elle se tourna brusquement vers lui.*) Si vous n'avez rien de mieux à faire, demain, pourquoi ne viendriez-vous pas me regarder opérer?

— Cela me tente tellement. Vous voulez bien? répondit-il ardemment.

Elle acquiesça de la tête sans plus effleurer le sujet, puis elle se leva, balayant la pièce de sa longue robe.

— J'ai une de ces faims, dit-elle, mais vous jouez de malheur, je ne sais pas faire la cuisine. Enfin, avec l'aide d'Hippocrate, je vais vous disséquer deux de ces sandwiches, vous allez voir!

Elle tint sa promesse, et mieux encore, car, aux deux sandwiches à la viande et au saucisson, elle adjoignit un bocal de cornichons et du café fumant. Ils mangèrent ainsi, tous deux, devant les flammes crépitantes, parlant médecine et technique médicale. L'étendue des lectures d'Anna, ses connaissances profondes et la force incisive de son savoir impressionnèrent fortement Duncan.

A dix heures, lorsqu'il se leva pour prendre congé, il était empli de gratitude pour elle.

— J'ai passé une soirée merveilleuse, docteur Geisler. Je ne sais comment vous remercier.

— Je m'appelle aussi Anna. N'essayez pas de me remercier. Si je m'étais ennuyée, il y a longtemps que je vous aurais mis à la porte.

Quand il fut parti, elle resta immobile, plongée dans ses réflexions. « Pauvre enfant, la vie l'a maltraité. Tout comme moi. Mais il n'est pas encore endurci, comme je le suis. " Penchée sur les braises mourantes, elle pensa avec une franchise brutale : " Je vais le prendre en main. Je l'aiderai à se faire une carapace. Il est intelligent. Comme collègue, il peut me servir plus tard dans mon travail. "

Le lendemain matin, Duncan fut éveillé par la sonnerie du téléphone au rez-de-chaussée. C'était Margaret qui l'appelait, confuse de son accès de mauvaise humeur de la veille.

Duncan ne comprit pas que la pensée de perdre ne serait-ce que le plus infime de ses admirateurs gênait sa vanité. Pour lui, qu'elle l'eût appelé, qu'elle lui pardonnât, qu'elle voulût bien reprendre leurs relations, c'était un vrai miracle.

Là-haut, le Grand Tom s'était réveillé avec un fort mal de tête. Le souvenir des événements de la veille le bourrelait de remords. Aussi ce fut avec un soupir de soulagement qu'il apprit la réconciliation.

— Je ne suis qu'un vieil imbécile! Mais j'aurai ma punition, ne t'en fais pas! Quand je serai rentré à la maison, il faudra que j'affronte ta mère.

En entendant mentionner sa mère, le visage de Duncan se durcit. Malgré les efforts qu'il avait faits pour se réconcilier avec elle, elle se refusait à le voir. Maintenant encore, elle prétendait que tous ses efforts se termineraient en tragédie, que le temps prouverait qu'elle avait eu raison.

Il serra les poings involontairement :

— Comprends-tu maintenant mon ambition, papa? Pourquoi je ne peux céder? Pourquoi je dois réussir à tout prix?

Les préparatifs du Grand Tom étaient maintenant terminés. Il secoua la tête en mettant son béret et se dirigea vers la porte.

— Réussis comme tu le veux, mon garçon, mais n'oublie pas d'être heureux!

Il sourit encore à son fils et, sifflant Rust, se hâta vers l'autocar.

Cet après-midi-là, Duncan se prépara à assister à l'opération du docteur Geisler. Il arriva en avance au modeste hôpital situé dans une ruelle du quartier ouvrier de Dundee. Anna, cependant, était déjà là, occupée à se laver les mains dans la petite pièce attenante à la salle d'opération.

Elle accueillit Duncan avec une politesse impersonnelle, mais, tandis qu'une infirmière l'aidait à enfiler sa blouse, elle lui dit pardessus son épaule :

— Cela vous plairait d'administrer l'anesthésique?

Duncan se sentit plein de joie. Il voulut lui exprimer sa reconnaissance, mais elle coupa court à ses remerciements :

— Je vous en prie, pas d'effusion! Préparez-vous.

Elle se tourna vers l'infirmière :

— Mademoiselle Dawson, je m'occuperai de mon malade dans cinq minutes précises. Pourquoi le docteur Overton n'est-il pas encore là?

L'infirmière Dawson était une jolie fille blonde aux yeux bleus effrontés. Sa réponse ressemblait curieusement à des excuses personnelles :

— Il va certainement arriver tout de suite. Je suis sûre qu'il a été très occupé.

Elle avait à peine terminé sa phrase qu'Overton se précipita dans la pièce, expliquant son retard avec une profusion d'excuses. Duncan ne fut pas étonné de le voir. En tant qu'interne de l'hôpital, il était normal qu'il fût chargé d'assister le docteur Geisler dans son opération. Mais, de toute évidence, Overton ne s'était pas attendu à sa présence.

— Tiens, Stirling! Je ne pensais pas que ce serait vous le marchand d'éther.

L'hostilité perçait dans le ton.

— Pas de conversations, s'il vous plaît, demanda Anna sévèrement, je ne les tolère jamais quand j'opère.

Overton haussa les épaules et fit un clin d'œil à l'infirmière pendant qu'elle l'aidait avec sollicitude.

Le malade fut bientôt amené dans la salle.

C'était un petit garçon de onze ans, visiblement sous-alimenté et anémié, pitoyable produit des taudis environnants. Il présentait un cas caractérisé de *talipes equinus* (un pied bot).

Comme chez la plupart des enfants, l'anesthésie fit son effet normalement. Duncan, assis sur le tabouret de métal près de la table d'opération, rassuré par la respiration profonde et régulière du petit malade, était dans une position idéale pour observer les phases de l'opération.

Il lui semblait que c'était un cas désespéré, la jambe plus courte que l'autre, le pied épaissi et déformé, moins un pied qu'un nœud de muscles et de nerfs déformés et tordus. Duncan était persuadé que pas un chirurgien sur mille n'aurait osé tenter l'opération. Cependant, dès sa première audacieuse et rapide incision, entourant la cheville épaissie comme d'un cercle rouge, Duncan vit qu'Anna tentait l'impossible.

La fine lame du bistouri étincelait sans une erreur dans ses mains sèches et efficaces, parmi le ramassis d'os et de nerfs. Chacun de ses mouvements était direct, pas un geste inutile. Duncan avait déjà vu opérer de bons chirurgiens à l'hôpital, le professeur Rigius lui-même, mais ceci était différent. Sans risque de se tromper, on pouvait affirmer qu'il y avait là du génie.

Quand l'opération fut enfin terminée, Anna sortit brusquement, elle enleva ses gants et, avec un profond soupir, elle pénétra dans le petit lavabo pour ôter son masque. Duncan la rejoignit et entendit Overton lui parler. Pour une fois, le jeune docteur semblait ému. Il avait laissé tomber son masque habituel de blasé.

— Sincèrement, docteur Geisler, c'est la plus belle opération que j'aie vue dans cet hôpital. Permettez-moi de vous féliciter.

Elle sourit froidement, essuyant ses mains après la serviette qu'il lui tendait.

— N'ai-je pas interdit toute conversation inutile?

— Alors, allons prendre le thé ensemble.

La voix était douce et flatteuse. Mais ses efforts pour séduire Anna restèrent vains. Elle secoua la tête.

— J'ai déjà promis à un ami de prendre le thé avec lui.

— Une autre fois, peut-être?

Quand il se fut éloigné, Anna fit une grimace de dégoût.

— Il est trop beau, ce jeune homme!

— Vous l'avez enthousiasmé. Il est sincère.

— Peut-être. Mais je n'aime pas ce genre-là. D'ailleurs, je suis prête à parier un nouveau stéthoscope avec vous qu'il flirte avec l'infirmière. (*Elle se débarrassa de sa blouse.*) Maintenant, pour l'amour du ciel, dépêchez-vous.

— Je croyais que vous aviez un rendez-vous avec un ami?

— C'est vous, l'ami.

Ils se dirigèrent vers le salon de thé le plus proche. Tout d'un coup, Anna se tourna vers Duncan :

— Vous avez très bien administré l'éther aujourd'hui. Qu'est-ce que vous diriez d'être mon anesthésiste pendant les trois mois qui viennent? L'hôpital est d'accord. Le salaire est de cinquante guinées.

Duncan rougit de surprise et de plaisir. Cinquante guinées! De quoi mettre fin à sa servitude envers Mrs. Inglis, à l'appréhension de chaque sou dépensé, sans compter la distinction qui lui était accordée et l'expérience que ce travail lui donnerait.

Sans la regarder, il demanda :

— Parlez-vous sérieusement, Anna?

Elle se tourna vers lui :

— Mais, mon cher enfant, je ne fais que cela!

Un sourire affectueux aux lèvres, Duncan déchiffra la carte postale, sans signature, comme d'habitude, avec au coin le tampon familier et bienvenu de Strath Linton.

« *Deux de vos amis seront à Saint-Andrews jeudi après-midi. Rendez-vous à la librairie Leckie à une heure.* »

L'amitié de Duncan pour Murdoch et Jeanne était maintenant bien établie et il était devenu de tradition que, dans les rares occasions où le vieux docteur et sa fille se rendaient à la ville, Duncan les rencontrât à la librairie, d'où ils partaient déjeuner ensemble. Murdoch, toujours à l'affût d'une vieille édition reliée, avait fait de cette librairie son port d'attache.

Cependant, le sourire de Duncan s'évanouit brusquement. Il venait de se rappeler que, jeudi justement, il avait promis à Anna de l'emmener déjeuner pour fêter son nouvel emploi.

La carte à la main, il fit un rapide retour en arrière. Ces six dernières semaines avaient marqué profondément sa vie. En Anna Geisler, il avait trouvé un collègue dont le cynisme masquait une ambition et un but aussi déterminés que les siens. Leur association était étrangement impersonnelle et c'était pour cela, justement, qu'il l'appréciait. Sous l'influence d'Anna, ses études progressaient rapidement, ses ambitions s'étaient encore affirmées. A son contact, ses conceptions de la chirurgie moderne s'étendaient chaque jour. Elle lui prêtait des livres et essayait de lui inculquer des connaissances d'art, de littérature, de musique. En dépit de ses manières brusques et de sa tenue négligée, son esprit était cultivé, et qui plus est, raffiné.

Ce dilemme le rendait soucieux. Il ne voulait pas blesser ses amis. Il s'assit à sa table et, avec un étrange sentiment de gêne, il écrivit un mot d'excuse, prétextant qu'il était occupé jeudi à l'hôpital, ce qui n'était d'ailleurs pas entièrement faux, car il devait, en effet, se présenter le jeudi après-midi pour une séance importante.

Le jeudi arriva. Duncan avait décidé que ce déjeuner ne serait pas une de ces dînettes frugales dans les restaurants bon marché, dont il était coutumier. Pour cette fois, il s'était promis de traiter Anna royalement et de l'emmener au Thistle Grill, le nouveau restaurant élégant de la ville.

Quand il pénétra dans la salle du Thistle, Anna l'attendait. Elle semblait ce jour-là moins froide qu'à l'ordinaire. Sa robe, noire et sévère, lui composait une silhouette élégante, lui donnait un chic qui détonnait dans ce restaurant provincial. Duncan fut surpris par son petit chapeau noir à l'absurde plume écarlate. Il n'aurait pas supposé qu'elle possédât de tels accessoires féminins. On ne pouvait prétendre qu'elle fût belle, mais son teint pâle où tranchaient ses lèvres d'un pourpre éclatant, cette distinction, et surtout ses mains longues et souples, tout cela la différenciait des autres femmes, lui donnait un air de venir de loin, de dominer. Les regards étaient braqués sur elle, certains intrigués, les autres désapprobateurs.

On leur apporta des mets délicats et ils firent déboucher une bouteille de vin.

— Prosit! dit-elle, je bois à la réussite du docteur Geisler et du docteur Stirling!

Anna se pencha vers lui à travers la table et l'obligea à lever son verre.

Un sixième sens avertit Duncan qu'il devait tourner la tête. Il vit à la porte du restaurant le docteur Murdoch et Jeanne. Tous deux l'aperçurent en même temps et leurs regards lui apprirent clairement qu'ils avaient surpris et mal interprété ce mouvement d'intimité entre Anna et lui-même. Duncan se sentit rougir jusqu'à la racine des cheveux. Il n'aurait jamais imaginé que Murdoch choisirait lui aussi ce jour-là pour déjeuner au Thistle.

Le vieux docteur et Jeanne se dirigèrent vers le fond de la salle et durent passer devant la table de Duncan. Quand ils furent à sa hauteur, Duncan se leva à demi, balbutia des présentations.

Mais ses efforts pour rattraper sa maladresse furent vains. Murdoch redressa les épaules de sa vieille veste de tweed; les sourcils froncés, il jeta un regard entendu sur Anna et lui tourna le dos. Face à Duncan, il s'éclaircit la voix.

— Je vois à présent pourquoi vous n'aviez pas le temps de rencontrer vos vieux amis aujourd'hui.

— Mais vous ne comprenez pas...

— Je comprends parfaitement, répondit dédaigneusement Murdoch, vous êtes très occupé à l'hôpital.

Empêtré dans ses excuses stupides, qui maintenant ressemblaient fort à un mensonge, Duncan se rassit brusquement. Vexé et furieux, il ne voulait plus rien dire. Il vit que Jeanne, l'air malheureux, essayait d'expliquer quelque chose, mais son père, l'attrapant par le bras, l'avait déjà entraînée dans un coin de la pièce.

Après un moment de silence, Anna demanda :

— Qui est-ce?

— Un ami à moi, répondit Duncan brièvement.

— Oh! (*Ses sourcils se levèrent.*) Et elle?

— Elle aussi.

La camaraderie aisée qui régnait entre eux au début du repas avait disparu. Ils tentèrent — Anna en particulier — de la retrouver, mais en vain, et Duncan ne fut que trop heureux quand le repas fut terminé. Il régla rapidement l'addition et suivit Anna.

Ils se rendirent tout droit à l'hôpital, où Anna devait opérer à deux heures et demie.

Ce jour-là, en partie à cause de l'importance de l'opération, mais surtout parce que le talent, la personnalité d'Anna s'étaient fait reconnaître, l'amphithéâtre était bondé d'étudiants de la Faculté. Duncan vit que les médecins de la ville et un chirurgien de l'hôpital Victoria s'étaient également donné rendez-vous là. Il y avait même une personnalité de première importance : le professeur Lee, directeur de la Fondation Wallace. Overton, toujours à l'aise dans les situations marquantes, assistait Anna.

En prenant sa place à la table d'opération, Duncan se sentit vaguement mal à l'aise. L'incident du restaurant l'avait déjà bouleversé, et la présence de tant de monde autour de lui le troublait encore plus. Il devait administrer un anesthésique assez compliqué : un mélange de gaz carbonique, d'oxygène et d'éther. Il s'assura de sa main valide des capsules bouchant les divers flacons et bonbonnes.

Dès que l'opération fut en train, il sut qu'il ne s'en tirerait pas bien. Une fois ou deux, Anna lui jeta un regard rapide. Puis il sentit d'autres regards et intercepta même le coup d'œil désapprobateur qu'Overton jetait à son bras infirme.

Le sentiment de sa propre déficience le paralysa soudain. Sa gaucherie augmenta, l'enveloppant comme un brouillard, le suffoquant. Puis ce fut le bouquet. En se retournant pour renouveler l'éther, ses doigts laissèrent échapper la bouteille d'anesthésique sur le sol.

Il y eut un silence désapprobateur. Tous les regards étaient fixés sur Duncan, sauf celui du docteur Lee, qui, plein de délicatesse, feignait de contempler le plafond.

— Espèce d'empoté, murmura Overton, heureusement que le bouchon tenait, nous aurions tous sauté.

— Taisez-vous! ordonna Anna.

Elle se tourna rapidement vers l'infirmière Dawson :

— Ne restez pas comme une idiote! Allez chercher une autre bouteille, vite!

— Oui, docteur!

Elle alla chercher la bouteille avec humeur. L'opération fut terminée dans un silence tendu.

Duncan alla se changer au vestiaire. Il était très pâle. Il réalisait l'énormité de sa faute, les conséquences désastreuses qu'elle pouvait entraîner. Il se sentait faible, malade et n'acceptait pas l'idée de revoir les gens qui avaient été spectateurs de sa bévue.

Délibérément, il s'attarda, espérant laisser le temps à Anna de quitter l'hôpital. Mais quand il fut sur le point de partir à son tour, il entendit des bribes de conversation entre les deux infirmières du service " Chirurgie " et il s'arrêta, frappé à mort.

— Ça a été terrible quand l'éther est tombé, déclarait la plus âgée. Quel empoté, ce garçon!

Son interlocutrice était l'infirmière Dawson, celle qu'Anna avait réprimandée.

— A quoi peut-on s'attendre d'un type

pareil? Il ne fera jamais un bon docteur! Le docteur Overton m'a bien dit ça une douzaine de fois!

Un sombre désespoir envahit Duncan sur le chemin du retour.

Le lendemain matin, la sensation affreuse subsistait en lui à son réveil. Jamais, auparavant, il ne s'était senti si complètement découragé. L'idée de son infériorité physique l'obsédait. Partout autour de lui, il croyait voir du mépris pour lui. Il se complaisait amèrement dans la pensée que ses camarades raillaient son infirmité. Cette obsession morbide augmenta encore sa gaucherie.

Le samedi matin, Anna l'arrêta dans l'escalier.

— Jeune homme! (*Elle le saisit fermement par le revers de sa veste.*) Vous m'évitez. (*Elle le poussa dans sa chambre et le fixa bien en face.*) Que se passe-t-il?

— Rien, répondit-il en évitant son regard.

Elle s'assit, apparemment décidée à abandonner le sujet.

— Vous allez bientôt passer vos derniers examens, fit-elle remarquer sur le ton d'une conversation banale, le mois prochain, n'est-ce pas? Je me réjouis à la pensée que vous serez bientôt débarrassé de toutes ces épreuves. Vous savez, Duncan, si vous vous y mettiez vraiment, si vous vous spécialisiez, vous et moi, nous ferions une fameuse équipe!

— Si je me spécialisais en quoi? Je ne suis bon à rien!

— Ne soyez pas stupide!

Sans prêter attention à ce qu'elle disait, il continua, tendu :

— C'est vrai, à quoi suis-je bon? Inglis avait raison. Il m'a prévenu dès le début que je moisirais dans un coin poussiéreux à établir des statistiques ou à vaporiser des désinfectants; peu importe d'ailleurs, puisque je ne suis bon à rien.

Il haussa les épaules, désespéré. La plaie était maintenant ouverte aux yeux d'Anna. Elle s'adressa à lui lentement. Sa voix ne contenait pas l'ombre de sympathie.

— Si vous me laissez placer un mot, je vous expliquerai peut-être à quel point vous pouvez être utile.

Il l'interrompit brutalement.

— Pourquoi se dissimuler la vérité et se bercer d'illusions? Je ne suis qu'un raté infirme! Seigneur, il y a longtemps que j'aurais dû le comprendre. Quand j'ai commencé ici, il y a cinq ans, je ne pensais qu'à une chose : passer mes examens pour avoir le titre de médecin. Je ne voyais rien d'autre. Maintenant, je sais comme tout cela est inutile. Non! Laissez-moi parler. Autant vous dire toute ma pensée. Comment pourrais-je jamais soigner un malade? *Comment le pourrais-je?*

Délibérément, Anna se leva et alla s'asseoir à côté de lui. Son attitude était dénuée de toute émotion.

— Il y a quelque chose que j'ai envie de vous demander depuis longtemps. Je crois que le moment est bien choisi pour ça. (*Elle le regarda droit dans les yeux.*) Voulez-vous me laisser examiner votre bras?

— Si ça peut vous faire plaisir, répondit-il amèrement, je n'y vois pas d'inconvénients. Approchez, mesdames et messieurs, le spectacle va commencer.

Il retira lentement sa veste. Elle ne répondit pas, semblant ne prêter aucune attention à lui tandis qu'il défaisait son col et sa cravate et enlevait sa chemise de coton. Mais elle n'avait aucun mal à deviner quelle torture devait être la sienne à exposer devant elle sa difformité. Nu jusqu'à la ceinture, il lui fit face. Le visage professionnellement impassible, elle commença son examen. A première vue, en dépit de sa maîtrise, elle se sentit effrayée. Comme il l'avait dit et comme elle l'avait craint, c'était un cas grave. Le bras, fixe et contracté, était tout atrophié; il ressemblait à une branche morte.

— Remuez les doigts, ordonna-t-elle.

Il les remua légèrement, avec un effort visible.

— C'est déjà quelque chose, commenta-t-elle avec soulagement.

— A quoi bon? répéta-t-il sombrement, c'est sans espoir. Tout le monde l'a vu. Le docteur Inglis, Tranton, Davidson. Je l'ai même montré au professeur Lee, à la Fondation Wallace, il y a deux ans.

— Allez-vous vous tenir tranquille! s'écria-t-elle sèchement.

— Très bien! (*Il la regarda en ricanant.*) Prenez votre leçon d'anatomie.

Elle poursuivit son examen manuel, palpant la peau et les muscles, essayant de faire jouer les articulations raidies. Lui ordonnant de fermer les yeux, elle tenta des réactions cutanées avec la pointe d'une aiguille. En dépit de lui-même il sentait le pouvoir qu'il y avait en elle, l'habileté de chacun de ses mouvements. L'examen dura encore longtemps. Finalement, elle lui enjoignit brièvement de remettre ses vêtements.

Puis, calmement, elle lui demanda :

— Duncan, je voudrais que vous me laissiez opérer votre bras.

Il ne pouvait se tromper quant à la sincérité, la conviction qui perçaient dans son ton.

— Mais puisque je vous dis que c'est inutile. J'ai déjà entendu une douzaine de diagnostics. Le professeur Lee lui-même m'a dit que l'opération entraînerait un danger de mort sans grandes chances d'amélioration si elle réussissait.

— Il a raison sur un point. (*Elle parlait toujours du même ton monotone.*) C'est une opération très grave. Si j'échoue... (*elle s'arrêta un moment*) — vous pouvez perdre votre bras. (*Elle s'arrêta de nouveau.*) Mais je ne crois pas que j'échouerai.

Il regarda son visage pâle, impassible. Une vague de doutes, de protestations, de méfiance le submergea, puis l'abandonna. Il se sentit frissonner comme un homme au bord d'un abîme. Les yeux toujours sur elle, il demanda :

— Pour quelle raison voulez-vous tenter cette opération?

Elle fronça les sourcils. Elle était étrangement calme.

— Vous souvenez-vous de Pygmalion? Oh! je ne pensais pas à vous, mais à moi. Si je réussissais cette opération — en somme, si je parvenais à vous recréer — non seulement cela servirait mes plans de travail en commun avec vous, mais encore ce serait mon plus grand triomphe!

Les traits de Duncan se détendirent; il ébaucha un sourire d'ironique résolution.

— Parfait, dit-il lentement. Dans ce cas, apprêtez vos instruments. Et si vous voyez que ça ne va pas comme vous le voulez, laissez glisser le bistouri dans ma jugulaire. Je suis un crétin qui ne sert à rien, j'ai comme le sentiment que je ferais mieux de mourir.

Le printemps fut précoce cette année. La vieille cité aux murs gris renaquit à la vie sous son manteau de verdure. Jamais Saint-Andrews n'avait été aussi beau. Duncan descendit la Grande Rue. Il ne voulait pas trop se laisser aller à ses espoirs, mais peut-être, dans quelques jours, lui aussi, se sentirait-il régénéré et comme renouvelé. Il pénétra dans la cour de l'hôpital.

Pour satisfaire au règlement de l'hôpital, il devait remplir plusieurs formulaires avant d'être admis. Il savait que c'était une simple formalité, mais son visage se durcit en approchant du bureau d'admission. Il frappa et entra.

Le docteur Overton était confortablement installé dans un fauteuil tournant, les pieds sur le rebord de la fenêtre. L'infirmière Dawson, perchée sur le bras du fauteuil, était penchée sur lui.

Prise au dépourvu, l'infirmière rougit et Overton eut l'air ennuyé.

— Oh! c'est toi, Stirling!

Miss Dawson descendit du fauteuil et arrangea sa coiffure, quelque peu dérangée sous son voile. Overton s'adressa à elle avec autorité :

— Ce sera tout, mademoiselle. Vous m'apporterez ces feuilles de régime plus tard.

— Très bien, docteur.

— Voyons, Stirling, dit Overton sans changer de position, où ai-je mis ces feuilles? Tu sais, tu as de la veine d'avoir une chambre dans le service d'Anna juste au moment où nous sommes débordés de cas très intéressants.

Duncan se mordit les lèvres.

— Je suis tout à fait conscient de mon insignifiance.

— Non, ce n'est pas ce que tu crois. (*Overton sourit avec condescendance.*) C'est simplement que... enfin, tu ne t'imagines pas une minute qu'elle pourra faire quelque chose pour toi avec le bras que tu as!

— Bien sûr! répliqua Duncan avec amertume, je ne viens ici que pour me reposer.

— Très drôle! En tout cas, Stirling, je te tire mon chapeau. Tu as su t'y prendre avec Anna Geisler. C'est quelqu'un qui ira loin, crois-moi (*Overton sourit d'un air entendu*), les influences comme la sienne, ça sert toujours!

Duncan tressaillit. Il y avait quelque chose de si dégradant, de si odieux dans l'insinuation d'Overton qu'il se retint pour ne pas se jeter sur lui.

— Finissons-en! J'ai encore beaucoup à faire avant d'être hospitalisé.

— Rien ne presse, mon cher. (*Overton agita négligemment une règle.*) Tu es ambitieux, n'est-ce pas?

— Et toi, tu ne l'es pas?

— Qu'en penses-tu? (*Overton sourit de nouveau.*) J'ai hérité ça de mon père. Tu sais qu'il fait construire ses nouvelles usines hydro-électriques, de quoi fournir la force motrice et le courant électrique à toute la moitié de la région est. Le vieux va faire des millions avec ça! Eh bien! Stirling, moi aussi je suis comme ça. Je veux qu'on parle de moi, qu'on me salue bas. Je ferai partie du dessus du panier.

Duncan sourit sardoniquement.

— Nous sommes tous verts de jalousie devant la situation que tu as ici.

— Grand Dieu! (*Overton daigna paraître amusé.*) Ici, c'est juste un tremplin pour ma carrière. Bientôt je serai à l'hôpital Victoria, comme sous-chef. Puis j'irai à Edimbourg, à la Fondation Wallace! (*Il fit une pause, destinée à impressionner Duncan.*) Le docteur Inglis est la grosse huile, là-bas, et Mrs. Inglis est une de mes meilleures amies. Avec mon intelligence, les influences dont je peux jouer et mes relations, je te parie tout ce que tu veux que dans cinq ans je suis directeur de la Fondation.

Duncan le considéra avec défi. Il se sentait une envie intense de relever le pari, mais il se contenta de dire avec une ironie glaciale :

— Rien de tel comme de viser haut!

— Et de regarder où on pose les pieds.

Overton reposa la règle sur la table et fouilla dans les papiers posés sur le bureau.

— Les miens vont surtout dans les salons. On en revient toujours aux femmes... Et comme tu as pu le penser en arrivant ici, nous ne parlons pas affaire tout le temps. Je dois dire qu'avec Anna tu as tapé dans le mille. Bon. Mets ton nom et ton prénom là. Je veillerai à ce que tu aies bien ta chambre.

Duncan signa les formulaires et quitta le bureau, bouleversé par une fureur sauvage. L'insolence d'Overton, sa vanité égoïste et cynique le mettaient toujours hors de lui. Mais, aujourd'hui, il avait dépassé les bornes. Cette insinuation mesquine concernant Anna et lui-même... Il essaya de la chasser de son esprit.

Mais Overton ne l'oublia pas. Sa langue perfide sut se faire entendre et bientôt l'histoire de l'opération, agrémentée de nombreux détails, fut répandue dans toute la ville. C'était un ragot de choix pour les commères de Saint-Andrews. Deux jours plus tard, Mrs. Inglis arrêtait Duncan dans la rue.

— J'ai beaucoup entendu parler de vous et du docteur Geisler, déclara-t-elle d'un ton moralisateur. Ce qu'on dit est-il vrai?

— Et que dit-on? demanda-t-il brusquement.

Elle bredouilla :

— Vous travaillez toujours avec elle. On vous voit ensemble à toutes les heures. Le docteur Overton me l'a dit.

— Il ne vous laisse donc ignorer aucun ragot du pays?

Elle rougit.

— Il a considéré de son devoir de m'informer. Je vous le dis en face, mon garçon, cette histoire ne facilitera pas votre carrière. J'en ai parlé à mon mari.

Duncan réprima mal sa fureur. D'autant que la pensée lui venait que, peut-être, il s'était montré imprudent dans son amitié platonique avec Anna. Or, Mrs. Inglis — par la domination qu'elle exerçait sur le doyen — pouvait lui causer un tort sérieux.

Il était d'une humeur massacrante lorsqu'il aperçut de loin, alors qu'il descendait la Grande Rue juste après cette rencontre, une silhouette vêtue de tweed rugueux, penchée sur l'éventaire de la librairie Leckie. Son cœur fit un bond. Il oublia ses soucis et hâta le pas vers le vieux docteur de Strath Linton.

— Murdoch! Comme je suis heureux de vous voir!

Murdoch se raidit, contempla un peu plus longuement qu'il n'était nécessaire le livre ouvert dans sa main, puis répondit brièvement :

— Bonsoir.

— J'espérais tant vous rencontrer, continua Duncan, pour vous expliquer ce malentendu.

— Je n'aime pas les explications, l'interrompit sèchement Murdoch. (*Il tourna une page du livre.*) D'ailleurs, moins on parle, mieux c'est.

— Mais je vous jure, s'obstina Duncan, que vous ne me comprenez pas. J'aurais dû vous écrire. Je vais envoyer un mot à Jeanne.

Murdoch se retourna et, pour la première fois, fixa Duncan dans les yeux. Il semblait vieilli en quelque sorte, sa figure était plus ridée, ses yeux plus profondément enfoncés; mais sa voix était dure comme de l'acier.

— A votre place, je ne me risquerais pas à écrire ce mot. Je suis très difficile pour les correspondants de ma fille.

Il n'y avait pas d'erreur possible. Sous l'insulte, Duncan s'enflamma comme si le vieil homme l'avait frappé.

Alors, Murdoch aussi avait prêté l'oreille aux calomnies! Duncan lutta pour recouvrer le contrôle de lui-même. Le souvenir de tout ce que le vieux docteur avait fait pour lui le poussa à tenter d'éviter une rupture définitive entre eux.

— Il n'y a qu'une amitié très pure entre le docteur Geisler et moi. Elle va tenter l'impossible pour guérir mon bras. Elle risque sa réputation dans cette opération.

— En effet, elle risque sa réputation. C'est bien le mot! s'exclama Murdoch.

Duncan put à peine articuler un mot.

— Pauvre fou! articula-t-il. Pauvre fou plein d'idées préconçues.

— Peut-être! gronda Murdoch. Autrefois, je

pensais que vous étiez un homme. Je me plaisais à imaginer qu'il y avait en vous de la ténacité et du courage, de la jugeote aussi, toutes nos vieilles vertus écossaises. C'est en quoi j'étais fou. Maintenant, je sais ce que vous êtes. Tout est fini entre vous et moi.

Tournant le dos, le vieil homme s'absorba farouchement dans son livre.

Dans l'obscurité naissante, Duncan ne voyait pas que les mains de Murdoch tremblaient à tel point qu'il pouvait à peine tenir le livre. Il ressentait en lui une affreuse douleur, une juste colère causée par toute cette injustice. Tant pis, puisqu'il en était ainsi, ce chapitre serait clos pour lui! Dorénavant, Strath Linton n'aurait plus de place dans sa vie. Et il se détourna. Sans un mot de plus, il dévala rapidement la rue obscure.

Deux jours plus tard, le jeudi, il passa ses derniers examens. Et dans l'après-midi, par une journée ensoleillée et gaie, pleine des promesses de l'été, après avoir encore regardé les nuages blancs qui flottaient dans le ciel bleu d'azur, il entra à l'hôpital dans le service d'Anna. Il était prêt pour l'opération.

TROISIÈME PARTIE

Six semaines plus tard, couché dans son étroit lit d'hôpital, Duncan tourna faiblement la tête en entendant des pas dans le couloir. Sa faiblesse était extrême. Jamais il n'aurait pu imaginer les ravages que l'opération allait effectuer dans sa constitution.

On lui avait dit qu'il avait passé quatre heures sur la table d'opération. Pendant des jours et des jours ensuite, le souvenir de l'éther l'avait rendu malade. Maintenant, il y avait la douleur. Elle était là et le tourmentait. Tout son côté gauche lui semblait un mur de feu.

Anna avait travaillé non seulement sur les muscles, les os et les nerfs, mais encore sur le plexus, ce nœud de nerfs émergeant, avec les artères et les veines principales, de la cavité du bras. La morphine même ne pouvait calmer complètement l'agonie de ces nerfs torturés.

— Oh! mon Dieu, maintenant que je connais la signification de la douleur, je serai un meilleur docteur... si je survis!

La porte s'ouvrit doucement et son infirmière lui dit :

— Une visite pour vous, monsieur Stirling.

Elle a promis de ne pas rester longtemps.

Une minute après, Jeanne pénétrait dans la pièce.

Elle apportait avec elle la senteur embaumée de la colline. L'odeur nauséabonde des antiseptiques s'effaça devant le parfum des pins et du myrte, du savon et de la fumée de bois. Elle entra timidement, vêtue de sa simple robe de lainage brun, un béret négligemment posé sur ses cheveux, des paquets plein les bras. Ses yeux candides ne pouvaient dissimuler une certaine réserve en même temps qu'une anxiété extrême.

— Jeanne!

— Duncan! s'exclama-t-elle, comme vous avez maigri!

Elle s'approcha de lui.

— Oh! Jeanne, je suis si heureux de vous voir. Je pensais que vous m'aviez abandonné pour de bon.

Il lui tendit sa main valide — l'autre était emprisonnée dans une gouttière de plâtre — et serra ses doigts.

— Je suis en ville pour faire des achats. Il fallait que je vienne vous voir, malgré l'affreuse querelle que vous avez eue avec mon père.

Bien que maintes et maintes fois il se fût affirmé que tout était fini entre Murdoch et lui, Duncan ne put s'empêcher de demander :

— Comment va votre père?

Les yeux de Jeanne s'assombrirent.

— Pas trop bien. Il sort par tous les temps, vous le savez, et refuse de prendre soin de lui-même. Il a une mauvaise bronchite. Et, ces derniers temps, il s'est tellement fait de soucis à propos du nouveau barrage que l'on construit à Loch Linton. On fait aussi une centrale électrique et des usines d'aluminium; ces énormes cheminées vont détruire la beauté de la vallée.

Il jeta un coup d'œil à son visage bouleversé.

— N'est-ce pas un nommé Overton qui monte tout cela?

Elle acquiesça.

— Père a été contre lui dès le début. Je... j'ai presque peur. (*Elle changea rapidement de sujet.*) Mais je ne suis pas venue pour vous parler de père et de ses soucis. Dites-moi, Duncan, est-ce que ça va aller?

— Je le saurai bientôt. On va m'enlever le plâtre aujourd'hui.

— Oh! je suis certaine que l'opération a réussi. Je ne peux vous dire à quel point... (*elle rougit*) chaque nuit, je suis restée longtemps sans dormir, à penser, à espérer que votre bras serait guéri.

— Vous, au moins... (*il ne put retenir sa remarque*) vous avez confiance dans le docteur Geisler.

Elle le regarda sans hésitation.

— Je crois en tous ceux qui peuvent vous faire du bien, Duncan.

Il y eut un silence gêné jusqu'à ce que Jeanne sorte de son sac le pot de confiture faite par elle-même et les biscuits qu'elle lui avait apportés. Puis elle lui donna des nouvelles de Strath, de Hamish, de leur vieille voiture, de la nouvelle couvée de poussins, de la partie de chasse que Sir John Aigle projetait pour le 12 du mois, du fils de Sir John, Alex, qui venait de rentrer d'Oxford et qui s'apprêtait à s'opposer au plan d'électrification et d'industrialisation de la contrée. A plusieurs reprises, elle s'exclama qu'elle le fatiguait, qu'elle devait partir, mais, à chaque fois, il la retint.

Quand, enfin, elle se leva, il murmura à voix basse :

— Jeanne, j'aurais tout donné au monde pour que vous fussiez ma sœur.

Elle se détourna brusquement.

— Guérissez-vous vite, chuchota-t-elle, c'est la seule chose qui importe, mon cher Duncan!

Cette visite l'avait réconforté au-delà de toutes limites.

A trois heures précises, le docteur Geisler arriva, accompagnée de l'infirmière-chef.

— Eh bien! s'exclama Anna, s'asseyant sur le bord du lit et examinant les bandages. On dirait presque que vous avez des couleurs aux joues. (*Elle leva les yeux et lui sourit.*) Mademoiselle, voulez-vous me donner un ciseau à froid, je vous prie? Vous êtes nerveux, poursuivit-elle.

Elle se mit à défaire délicatement l'épaisse gouttière.

Il passa sa langue sur ses lèvres sèches.

— C'est vous qui devriez être nerveuse.

— Je ne souffre pas de cette maladie, rétorqua-t-elle. J'ai demandé qu'on apporte l'aérhéostate pour suivre vos réactions électriques.

Duncan faillit s'évanouir en voyant se détacher les derniers morceaux de plâtre. Tout allait si vite à présent, après cette longue attente immobile. Un moment, il eut le désir de demander qu'on retardât cette découverte, qu'on attendît jusqu'à demain pour savoir.

Mais la gouttière était maintenant complètement enlevée, et déjà Anna était occupée à ôter les pansements. La dernière couche de gaze fut bientôt déroulée et Duncan put regarder à nu son bras gauche.

Au premier abord, il ne comprit pas que c'était là ce bras qu'il ne pouvait s'imaginer autrement qu'atrophié et dévié, car il avait devant les yeux un bras qui, bien que maigre et flasque, était... normal! Oui, parfaitement normal! Tout le long du bras, des cicatrices livides parcouraient la peau d'une blancheur bleuâtre, mais c'était bien là son bras recréé. Anna en avait brisé les os et l'avait remodelé tout comme un sculpteur remodèle une argile imparfaite.

— Eh bien? interrogea-t-elle.

— Vous avez fait un miracle! balbutia-t-il.

— C'est encore à voir, répliqua-t-elle légèrement.

Elle fit signe qu'on amène l'appareil.

L'infirmière roula près du lit l'imposante machine électrique. Aidée de l'autre infirmière, Anna ajusta les roues et brancha le courant.

Un ronflement monotone emplit la chambre. Dressé sur son oreiller, Duncan attendait avec une appréhension grandissante l'application des électrodes. Les quelques minutes qui allaient suivre décideraient du succès de l'opération. C'est à peine s'il respirait en voyant, l'un après l'autre, les muscles de son bras répondre aux stimulations galvaniques. Il sut alors qu'il était guéri, pour de bon!

— Nous n'avons plus à nous inquiéter à présent, fit Anna. Évidemment, il vous faudra des semaines de massages et d'électricité. Mais, croyez-moi... (*Elle parlait avec une sèche ironie*), votre bras est aussi bon que s'il était neuf.

— Je le sais, dit-il simplement. Je m'en aperçois dès à présent. Regardez!

Avant qu'on pût l'en empêcher, il fit un rapide effort et saisit un verre sur la table de chevet.

— Non, arrêtez, s'écria avec effroi l'infirmière. Vous allez vous faire du mal!

Mais Anna surveillait attentivement Duncan et lui fit signe de ne pas intervenir.

Elles le regardèrent, fascinées, lever le verre à ses lèvres, boire, et le reposer sur la table. Depuis que la paralysie l'avait frappé, c'était la première fois qu'il pouvait accomplir un mouvement semblable.

— Eh bien! fit brusquement l'infirmière en chef, relâchant sa propre tension. Après ça, monsieur Stirling, je ne me sens guère en sûreté avec vous. Dans une minute, vous allez me jeter les meubles à la tête!

Quand les deux infirmières furent sorties, Duncan et Anna restèrent silencieux pendant quelques minutes.

— Je vous dois tant! dit-il enfin avec gravité. Dès le premier jour, vous m'avez ouvert à la musique, à l'art, à la littérature. Vous m'avez instruit, civilisé. Vous m'avez trouvé un emploi quand j'en ai eu besoin. Grâce à vous, j'ai appris à avoir une vue étendue, profonde, de la médecine. Et maintenant...

Sa voix se brisa.

— Assez, pour l'amour de Dieu, Stirling! Vous, Écossais, vous êtes des sentimentaux si stupides! Ne vous ai-je pas dit que j'aimais réussir? Je vous mettrai dans mon livre, avec des douzaines d'illustrations et de diagrammes répugnants.

— Même s'il en est ainsi, vous devez me laisser vous remercier, Anna. Ce qui est merveilleux c'est que, en dépit de tous les ragots autour de nous, vous avez fait cela par pure amitié.

— Mon cher Duncan, interrompit-elle avec brusquerie, faut-il absolument que vous me fassiez un cours de philosophie? Je pensais avoir mérité mieux que cela.

— Excusez-moi, Anna, mais je me sens tellement reconnaissant! Et il y a si peu de choses que je puisse faire pour vous le prouver.

— Vous pouvez faire beaucoup, Duncan. Je ne suis pas aussi altruiste que j'en ai l'air. Je veux que vous travailliez avec moi. Que vous vous occupiez de la partie pathologique de mes recherches, que vous vous acquittiez de votre dette de cette manière. Mais nous avons grandement le temps de décider cela plus tard. En attendant, je viens de penser que votre infirmière a commis une horrible faute.

— Comment?

— Elle vous a appelé Monsieur Stirling. Et, depuis ce matin, le titre exact est : " *Docteur* Stirling ". (*Elle lui sourit en se dirigeant vers la porte.*) C'est le docteur Inglis qui m'a appris la nouvelle en arrivant. Il était tout excité. Vous avez réussi tous vos examens, Duncan. Avec les félicitations du jury, par-dessus le marché.

Elle ouvrit la porte et, après un dernier regard

à son visage médusé, elle sortit rapidement.

Duncan s'appuya sur son oreiller et resta là un long moment sans bouger. Puis, peu à peu, il comprit ce qu'allait être son avenir. Inconscient, il remuait son bras jusqu'alors inutile et desserrait le poing. Un sentiment de puissance le submergea.

Soudain, il s'appuya sur son coude et sortit de son vieux portefeuille tout usé un petit instantané et une branche de bruyère séchée. La photo était celle de Margaret et la branche de bruyère celle qu'elle lui avait donnée tant d'années auparavant. Il savait qu'elle était en vacances.

« Mais maintenant, pensa-t-il avec ferveur, j'ai quelque chose à lui offrir quand elle reviendra. »

Par un beau matin de la fin de juillet, Duncan, revêtu de sa blouse blanche, attendait Euen Overton à la porte du service du docteur Inglis, à l'hôpital Victoria.

Six semaines auparavant, quand Duncan était sorti de l'hôpital, le doyen l'avait nommé interne dans son service, le plus important de l'hôpital Victoria.

— J'ai toujours cru en vous, mon cher Stirling, lui avait-il dit en lui tapant dans le dos.

Duncan s'était souvenu avec ironie de sa

première entrevue avec Inglis, dont le pessimisme avait bien failli détruire tous ses espoirs.

— Et entre nous, avait-il ajouté, je tiens à marquer cette confiance en vous en dépit du fait qu'on a cherché à me dissuader de vous confier ce poste, un peu partout... en ville et... euh! chez moi.

Puis, saisissant le bras de Duncan, il l'avait mené à un laboratoire équipé selon les techniques les plus modernes.

Duncan s'était installé dans la partie du grand hôpital qui lui était réservée et, fort de ses deux mains à présent valides, il s'était jeté à corps perdu dans ce travail que, depuis toujours, il avait souhaité.

Ses journées étaient bien remplies. Il se levait à sept heures et notait ses observations jusqu'à l'heure du petit déjeuner. La matinée était ensuite occupée à accompagner le docteur Inglis dans ses visites officielles aux services; c'était pour Duncan un véritable exercice de patience, la lenteur du doyen étant devenue proverbiale. Après un déjeuner rapide, une série de tests biochimiques, et il était déjà six heures. Puis, dans la soirée, une ronde dans l'hôpital en compagnie d'Overton, à présent sous-chef de l'hôpital, un sous-chef jaloux de son autorité et pénétré de son importance.

Après six semaines épuisantes, un étrange mécontentement atténua l'ardeur de Duncan.

Peu lui importait la monotone routine de son travail ou les manifestations de vanité mesquine d'Overton; mais, de plus en plus, son désir d'établir entre lui et les malades un contact réel se trouvait déçu.

Il leva la tête en entendant des pas dans le couloir. C'était Overton. Il attendit que l'autre s'approchât.

— Overton, je voudrais te parler du cas Walters.

— Quel cas Walters? Je suis occupé, je vais déjeuner.

— C'est important, Overton. C'est le jeune garçon du lit n° 7; je trouve qu'il présente des symptômes de respiration curieux. Son état a beaucoup empiré.

— Que diable veux-tu que j'y fasse?

Duncan savait qu'Overton était allé danser tard dans la nuit, la veille, avec Miss Dawson, et pour des raisons sans doute en rapport avec la jolie infirmière, il était plutôt de mauvaise humeur.

— Nous avons fait tout ce que nous pouvions.

— Tout, sauf découvrir ce qui n'allait pas. (*La voix de Duncan était dure.*) Chaque jour de la semaine, je passe mon temps à expérimenter des tests stupides sans aucune utilité, et pendant ce temps, ce garçon se meurt.

— Le diagnostic n'est pas clair, répliqua

Overton rapidement. Nous ne pouvons rien tenter. Le chef pense que c'est de l'anémie pernicieuse.

— A mon avis, c'est purement et simplement un empyème. Il faut une ponction du poumon. Si on ne la fait pas, le malade mourra.

— Et qui t'a demandé ton avis? Souviens-toi de ta position ici, Stirling. C'est un caprice du doyen qui t'a amené ici. Il y a un tas de gens qui pensent que ce n'est pas ta place.

Il continua son chemin dans le couloir. Duncan, le visage crispé, le regarda s'éloigner.

Ce soir-là, il eut une heure de liberté. Comme d'habitude, il la passa avec Anna. Il prenait un plaisir pervers à défier les commérages de la ville.

Elle lui servit une tasse de café et s'étonna de son silence inaccoutumé.

— Qu'y a-t-il? Quelqu'un a encore bavardé sur notre compte?

Il secoua la tête.

— Non, c'est simplement que j'apprécie mon introduction à la médecine mécanisée. C'est extrêmement amusant, poursuivit-il ironiquement, de jouer avec des éprouvettes et des tubes d'analyses, avec des métabolismes basals quand, en appliquant mon oreille à la poitrine d'un malade, je peux dire en dix minutes de quoi il souffre.

Elle le regarda attentivement.

— Ne méprisez pas les armes de la médecine moderne, Duncan.

Il éclata brusquement.

— Depuis des semaines, ça me ronge! Je veux travailler avec mes mains, pas avec des tubes; ce sont eux qui paralysent la profession! Évidemment, il y a les médecins corrompus par l'argent. Mais ce n'est que la moitié du mal. Il y a encore que, dans notre système actuel, les médecins n'ont plus les qualités qui importent vraiment : la personnalité, la capacité d'inspirer confiance, le pouvoir de faire un diagnostic exact. Ils ne veulent plus rien faire par eux-mêmes. Il y a toujours une infirmière ou une laborantine et même une machine pour tout faire pour eux. A l'instant même, un homme se meurt dans mon service parce que la vérité est dissimulée derrière une forêt de diagrammes, de graphiques, de calculs et de tests!

Le silence d'Anna était nettement désapprobateur.

— Il est temps que vous acquerriez un point de vue plus scientifique de votre travail.

— Et le point de vue humain? Je dois l'abandonner? demanda-t-il avec colère.

— Pourquoi pas? Vous découvrirez qu'il a peu d'importance quand vous vous mettrez à la pathologie.

Pris de court, il la regarda.

— Vous n'avez pas oublié que nous allons faire équipe tous les deux? J'aurai besoin d'un expert en pathologie pour mon travail sur les coordinations neuro-musculaires.

— VOTRE travail?

— Disons notre travail. Souvenez-vous que vous êtes définitivement lié à moi. (*Elle sourit énigmatiquement et changea subtilement la conversation.*) Maintenant, détendez-vous. Je vais vous jouer un peu de Bach.

Mais elle n'avait pas résolu ses difficultés; au contraire, elle en avait créé une nouvelle.

Il prit congé avant l'heure et se dirigea droit vers l'hôpital. Il s'arrêta devant le lit n° 7.

Le malade, Walters, un jeune homme de vingt-deux ans, était de toute évidence dans un état désespéré; ses lèvres parcheminées, ses yeux voilés, son souffle court, tout le démontrait. Dans la lumière tamisée des veilleuses, l'expression préoccupée de Duncan s'accentua. Il glissa la main sous la chemise du malade, palpant, avec cette secrète sensibilité du toucher, la poitrine haletante.

Rapidement, il se détourna et appela d'un geste l'infirmière de service.

— Pourrais-je voir les radios, mademoiselle? Voulez-vous me les apporter?

Cinq minutes après, elle revint, portant les

radios. Une autre infirmière et deux aides l'accompagnaient, roulant une table chargée d'un appareil à prise de sang, de stérilisateurs, de verres gradués, tout l'attirail rituel.

Duncan lui enjoignit brièvement :

— Je n'ai besoin que d'une aiguille, donnez-la-moi, mademoiselle, je vous prie.

Il était penché sur le malade quand le bruit de la porte lui fit soudain lever la tête. Le docteur Overton faisait sa visite de nuit habituelle dans le service.

— Que signifie tout cela?

Bien qu'assourdie, la voix était coupante.

Duncan se redressa.

— Si tu veux bien patienter un moment, tu le verras.

Overton rougit.

— Es-tu devenu fou? Tu ne peux t'occuper de ce malade sans ma permission.

— Ta permission m'est-elle nécessaire pour lui sauver la vie?

Un silence choqué s'abattit sur les infirmières. Le malade quitta des yeux le visage livide d'Overton et regarda l'expression dure et froide des yeux de Duncan. Faiblement, il tenta de l'attraper par la manche.

— Allez-y, docteur, souffla-t-il. Par pitié, faites ce que vous pouvez pour me soulager.

— Je te préviens... (*La voix d'Overton s'enfla.*) C'est à tes risques et périls!

Duncan lui jeta un coup d'œil de défi. Il saisit la pointe d'une main ferme. Il sentit le sang battre violemment à ses tempes pendant qu'il la plongeait dans la poitrine du malade. Après un instant d'attente presque intolérable, le pus épais et jaune jaillit de l'abcès de la plèvre avec une force telle que le jet paraissait ne plus devoir cesser.

Walters poussa un soupir de soulagement. Overton était pâle et des gouttes de sueur apparaissaient sur son front. Duncan essuya calmement son instrument avec une bande de gaze et ordonna à l'infirmière :

— Vous allez le transporter à la salle E, mademoiselle. Après une bonne nuit, il ira parfaitement bien.

— Je me sens déjà bien! (*Des larmes de bien-être coulaient sur les joues de Walters.*) Je peux respirer, maintenant. Que Dieu vous bénisse, docteur!

Le lendemain matin, durant leur tournée de visites, Duncan s'aperçut que le docteur Inglis le regardait d'une façon étrange. Quand ils furent seuls, le doyen le pria nerveusement de l'écouter. Après s'être éclairci la voix à plusieurs reprises, il remarqua :

— Vous ne vous entendez pas très bien avec le docteur Overton, Stirling?

— Non, monsieur, en effet.

L'expression du doyen s'adoucit. Il se mit à rire.

— Moi non plus!

Il reprit son sérieux et ajouta, avec sa réserve habituelle :

— Tout de même, mon cher Stirling, j'aurais préféré que vous ne vous soyez pas querellé avec votre collègue. Je n'ai pas besoin de vous dire que vous avez des forces contre vous. Il peut en résulter des ennuis pour vous. Très sincèrement, j'espère que non. Mais je vous demande, à l'avenir, d'être plus respectueux des hiérarchies.

La guérison de Walters progressait rapidement. Quand Duncan signa la feuille de sortie du jeune homme reconnaissant, il ne put s'empêcher de penser que, s'il avait été plus respectueux des hiérarchies, c'est un permis d'inhumer qu'il aurait eu à signer.

La semaine suivante, Duncan se disposait, un soir, à quitter le laboratoire, ses travaux de la journée terminés, quand il entendit frapper à la porte. Avant qu'il eût pu dire " Entrez ", la porte s'ouvrit et Margaret fut devant lui.

— Vous voyez, dit-elle, la montagne vient à Mahomet.

— Margaret! s'exclama-t-il avec ferveur, je ne pensais pas que vous étiez de retour!

— Père a été obligé de revenir très vite

pour affaires : la nouvelle compagnie électrique.

Il dit très lentement :

— Comme c'est gentil à vous de venir me voir!

— Oh! (*Elle se mit à rire légèrement.*) Je suis venue porter un message à mon oncle Inglis et j'ai pensé venir vous dire bonjour.

Du regard, elle appréciait la haute silhouette mince, vêtue de la blouse blanche.

Une vague soudaine de bonheur submergea Duncan. Comme elle lui avait manqué! Avec quelle impatience fébrile il avait attendu son retour! A présent, il n'était plus embarrassé pour trouver ses mots. Il n'était plus non plus le pauvre infirme sans avenir. Maintenant, il savait que son ambition pouvait le porter aux sommets.

— Margaret, dit-il, il y a quelque chose que je voudrais vous dire.

Au son inaccoutumé de sa voix, elle leva vers lui des yeux arrondis par une surprise feinte.

— Eh bien! tant que ce n'est pas l'histoire de votre vie!

Il s'approcha d'un pas.

— Ce n'est pas l'histoire de ma vie, mais ça remonte quand même assez loin, Margaret. Ça remonte à un pauvre petit garçon et à une princesse qui vivait dans sa tour lointaine.

Elle le regarda, le sourire aux lèvres.

— Comme vous savez dire de jolies choses! Qui était votre princesse?

— Vous ne le devinez pas, Margaret?

— Vous voulez dire que c'était moi?

Il répondit en sortant la branche de bruyère séchée de son portefeuille.

— Vous ne vous souvenez pas de cette branche que vous m'avez donnée?

— Non.

— C'était près de la rivière, un jour où je pêchais et où je vous ai rencontrée.

— Mais... c'est vrai. Et vous l'avez gardée durant toutes ces années?

Il fit signe que oui. Margaret sentit que la prudence lui conseillait de s'arrêter, mais sa vanité ne put s'empêcher d'aviver la flamme de l'amour qu'elle devinait.

— Comment vous dire à quel point je suis flattée!

Il saisit la main.

— Margaret, j'ai attendu si longtemps le moment où je serais en mesure de vous le dire. Je vous aime. Je sais que je réussirai. Et ce sera pour vous...

Il poursuivit, aveugle :

— Voulez-vous m'épouser, quand je me serai fait un nom, quand j'aurai établi une place dans le monde, pour vous et moi?

Aussi longtemps qu'elle le put, elle soutint son regard. Puis elle poussa un bref soupir et baissa les yeux.

— Jamais je n'aurais dû vous laisser continuer, murmura-t-elle avec une confusion feinte, mais j'ai de l'affection pour vous, c'est vrai, et je désirais entendre ce que vous aviez à me dire.

— Et pourquoi n'auriez-vous pas dû écouter? demanda-t-il.

Elle dégagea lentement sa main.

— Mais... vous auriez déjà dû voir que...

Elle tendit sa main en avant, mettant ainsi en évidence le gros solitaire qu'elle portait à l'annulaire.

— ... Je suis étonnée que vous ne l'ayez pas remarqué. Il est si gros... et si magnifique!

Duncan resta pétrifié. Il articula lentement, péniblement :

— Je suis idiot pour ces choses-là, Margaret. (*Il y eut un long silence.*) C'est une très jolie bague.

Il se tut à nouveau, cherchant ses mots.

— Et qui... qui est-il?

Il connaissait la réponse avant de l'entendre.

— Mais Euen, le docteur Overton, bien sûr. Nous avons toujours été amoureux l'un de l'autre. C'est pour cela que je suis venue vous voir. Pour que vous me félicitiez et que vous me souhaitiez du bonheur.

Avec effort, il empêcha son amertume de transparaître dans sa voix.

— Je vous souhaite beaucoup de bonheur, Margaret, et de la chance, de tout mon cœur.

— Vous devez admettre, continua-t-elle, qu'à tous points de vue c'est une union bien assortie. Nous avons tant de points communs. Et le nouveau poste de Euen à la Fondation Wallace nous permettra de vivre à Edimbourg. Père m'a promis un bijou de maison. Vous savez, tout le monde pense que, dans quelques années, il a toutes les chances de devenir directeur.

— Vous allez bientôt vous marier?

— Le mois prochain. Il faut que vous veniez danser à mes noces. J'invite tous mes anciens soupirants. Ce sera formidable!

Sa légèreté le pénétra comme un poignard et, un instant, il entrevit en un éclair la frivolité étroite de son esprit. Mais ce ne fut qu'un éclair. Immédiatement, la peine et l'amour le ressaisirent, et ce fut d'un ton parfaitement sincère qu'il prononça :

— S'il y a quoi que ce soit que je puisse faire pour vous, à n'importe quel moment, demandez-le-moi sans hésiter.

Elle pressa son bras légèrement et elle allait répondre quand un klaxon se fit entendre au-dehors.

— C'est Euen. Nous allons jouer au golf avant le thé.

Elle se détourna gaiement et tendit la main à Duncan.

— Au revoir. Non, ne vous dérangez pas pour m'accompagner. Il faut que je me dépêche, ou il fera bientôt noir.

Il resta à la fenêtre jusqu'à ce que la voiture eût disparu, se forçant à regarder le sourire triomphant d'Overton, l'air de possession tranquille avec lequel il aida Margaret à monter dans sa voiture.

Ce soir-là, Duncan avait rendez-vous avec Anna pour l'emmener au concert donné par l'Orchestre Philharmonique. Mais, après la visite de Margaret, il téléphona à Mrs. Galt pour décommander la soirée.

Vers dix heures et demie, cependant, Anna pénétra dans sa chambre sans se faire annoncer. Elle jeta son chapeau par terre et se laissa tomber dans un fauteuil. Puis, sans daigner lui prêter la moindre attention, elle saisit un journal local et s'absorba dans sa lecture.

Il fit un effort pour demander :

— Le concert était bien?

— Je n'y suis pas allée non plus. (*Son attitude était chargée d'une signification étrange.*) Ne vous forcez pas à être poli pour moi. Continuez donc à vous complaire dans votre malheur.

Elle feignit d'ignorer son regard furieux et poursuivit, imperturbable :

— Écoutez donc l'organe local, l'écho de la pensée publique : " Les nombreux amis que Miss Margaret Scott et le docteur Euen Overton comptent dans la société de Saint-Andrews seront heureux d'apprendre la nouvelle de leurs fiançailles, annoncées hier au soir par Mrs. Inglis, tante de Miss Scott. Miss Scott, bien connue dans le cercle de la jeunesse élégante de la région, est la fille du colonel Scott, de Stinehar Lodge. "

Elle laissa tomber le journal avec dégoût.

— C'est répugnant. Vous n'avez jamais aimé cette jeune fille! Vous étiez amoureux d'un idéal. Vous l'avez mise sur un piédestal et vous vous êtes traîné à ses genoux pour l'idolâtrer. C'est partout la même chose. Dans mon pays, chaque fils de bûcheron bâtit un rêve autour de la fille du " schloss. "

Il la regarda en face, mais elle poursuivit :

— Ne voyez-vous pas qu'elle n'est qu'une petite coquette, égoïste et vaine? Comment pensiez-vous vous entendre avec elle, supporter ses exigences continuelles, ses sottes obligations mondaines, ses ennuyeuses réceptions?

— Anna!

Duncan bondit, livide de rage.

— Je sais. Je sais. (*Elle le repoussa d'un geste désinvolte.*) Si je n'avais pas opéré votre bras, vous me tueriez à cet instant même. Mais moi, si je ne pensais pas qu'il y a quelque chose de bien chez vous, dissimulé sous ce fatras sentimental, je me lèverais à cet instant et je ne vous reverrais jamais.

Il soutint son regard un bon moment avant de retomber désarmé dans son fauteuil.

— Là, c'est mieux, poursuivit-elle d'une voix altérée. Je sais que vous souffrez. Je sais ce que vous ressentez à la pensée qu'elle a choisi Overton. (*Un lent sourire cynique envahit son visage.*) Ne vous inquiétez pas. Il ne sera pas si heureux. Et elle non plus.

— Anna, taisez-vous!

Il pressa sa tête dans ses mains.

— L'infirmière Dawson a tenté de se suicider ce soir.

— Quoi?

Il leva la tête, stupéfait. Puis le sens de la nouvelle l'atteignit comme un coup de poing. Anna secoua la tête.

— Oui, du beau gâchis! Auriez-vous imaginé qu'une infirmière expérimentée choisirait un hôpital pour y avaler cinquante pilules de narcotique? Nous avons vidé son estomac comme avec une pompe. Elle a été proprement emballée et renvoyée à ses parents, à Perth.

Duncan la regardait toujours.

— Après cette histoire, sa chambre était naturellement dans un beau chaos. Mais j'ai remarqué ceci, et j'ai pensé qu'il serait utile de le conserver.

Elle jeta sur les genoux de Duncan un paquet de lettres pliées par un ruban. Lentement, il le défit. Elles étaient toutes d'Overton. Il ne lui fallut pas plus de quelques minutes pour comprendre leur contenu.

— Oui, remarqua-t-elle alors qu'il relevait les yeux sur elle, votre cher, très cher ami est au bord du puits. Ce sera amusant de le voir y tomber.

— Non!

— Pourquoi pas? Après tout, il ne l'aura pas volé, après tous les mensonges qu'il a répandus partout sur notre compte, lui, ce parangon de vertu, qui se laisse aimer par ses infirmières au point qu'elles se suicident!

Il hocha la tête sévèrement.

— Je ne pourrai pas, Anna! Jamais! Cela ferait trop de mal à Margaret. Je combattrai Overton, mais pas de cette manière.

Elle l'étudia, les yeux à demi fermés, et changea habilement de tactique.

— Après tout, peut-être avez-vous raison. J'aurais aimé vous voir démolir ce type, mais je crois volontiers qu'il y a d'autres moyens pour le faire. Quand aurez-vous fini votre stage à Victoria?

— Dans la première quinzaine d'octobre, si je ne suis pas mis à la porte avant.

— Magnifique! Le 15 octobre, partez en vacances. Un peu d'air frais chassera cette amourette de votre tête, mon ami. En quatre semaines, je parie que vous serez bel et bien guéri. Et alors...

— Alors quoi?

— Alors, je serai prête pour vous.

— Prête pour moi?

— La commission me propose de m'installer à Edimbourg; évidemment, ce n'est pas encore officiel, mais c'est presque fait. J'aurai la charge d'un des principaux hôpitaux, avec toutes facilités en ce qui concerne la Fondation Wallace. Et aussi, ajouta-t-elle d'un ton naturel, le choix d'un collègue pour m'assister dans mes recherhces pathologiques.

Le visage de Duncan s'était crispé.

— La pathologie! La morgue! Seigneur! Mais je hais ce travail.

— Ne soyez pas stupide. J'ai de l'influence sur la commission. Peut-être pourrais-je même obtenir pour vous la chaire de pathologie. Chef d'un service à votre âge, réfléchissez-y. Et réfléchissez à ce qu'Overton en pensera!

— Que le diable vous emporte! Pourquoi éveillez-vous toujours en moi les plus mauvais sentiments?

— Parce qu'en grande partie vous êtes ma propriété. (*Elle sourit légèrement.*) Très cher Duncan, maintenant, plus que jamais.

— Vous êtes la femme la plus égoïste, la plus infernale que j'aie jamais rencontrée.

Elle étouffa un bâillement, regarda sa montre.

— Oui, quand il s'agit de la science, je suis tout cela. Et nous marchons tous deux sous cette bannière. (*Elle lui jeta un dernier coup d'œil glacé.*) Dormez bien, petit bûcheron, vos illusions d'amour sont mortes.

En se dirigeant vers la porte, elle ramassa le paquet de lettres. Plus tard, dans sa chambre, elle refit soigneusement le paquet et, avec un étrange sourire, l'enferma dans le tiroir de son bureau.

Fiévreux et hésitant, Duncan arriva à la dernière semaine de son stage à l'hôpital Victoria.

Le froid était venu, avec de furieuses chutes de neige et un vent glacé qui durcissait le sol. Un soir, alors qu'il revenait de sa dernière tournée dans les salles, le téléphone résonna dans sa chambre. S'imaginant que c'était un appel de l'infirmière en chef, il saisit mécaniquement l'écouteur.

Mais ce n'était pas l'infirmière en chef. La voix — bien que lointaine — était distincte. Il comprit avec un sursaut que c'était Jeanne Murdoch.

— C'est père, il est couché.

— Qu'a-t-il?

— Une bronchite. Nous avons beaucoup de neige par ici. Trois nuits de suite, il a été appelé dans Strath et il s'y est rendu malgré son refroidissement. Il ne voulait pas s'aliter, mais maintenant il y a bien été obligé.

— Et ses malades?

— C'est ce qui me tourmente. Il y en a beaucoup en ce moment.

En un éclair, il vit la situation dans le petit village perdu : le docteur malade, la campagne envahie par la neige, les malades éparpillés un peu partout, isolés.

— Il vous faut un remplaçant?

— Oui. Immédiatement. Vous ne connaîtriez pas quelqu'un?

Elle hésita, puis demanda très vite :

— Oh! Duncan, vous ne pourriez pas venir vous-même pour une semaine ou deux?

Sa décision était déjà prise. En réalité, s'il n'y avait pas eu sa querelle avec Murdoch, il aurait proposé son aide avant qu'elle la lui demandât. Il réfléchit rapidement. Dans un cas comme celui-là, il était sûr que le doyen le libérerait de ses derniers jours à Victoria. Il demanda à Jeanne :

— A quelle heure part le dernier car?

— A neuf heures à Old Square.

— J'ai juste le temps de l'attraper. Attendez-moi chez vous vers dix heures.

Il raccrocha et téléphona au docteur Inglis. Une explication succincte et chaleureuse lui rendit sa liberté. Il n'avait pas le temps de faire sa valise. Il se munit simplement d'un pardessus et d'une écharpe, enfonça son chapeau jusqu'aux yeux et se précipita dehors. Il courut dans les rues désertes et arriva juste à temps pour sauter dans le vieil omnibus qui déjà démarrait.

D'habitude, le car était bondé, mais, ce soir-là, il n'y avait que deux voyageurs, à part lui; l'un d'eux, un jeune homme de vingt-cinq ans à l'allure distinguée et au beau visage fier, était plongé dans un roman. Duncan eut un choc soudain en reconnaissant le second, assis tout près de lui. Bien qu'il ne l'ait pas vu depuis six ans, on ne pouvait se tromper à cette silhouette replète, à ce visage à la lourde mâchoire, à ces poches profondes sous les petits yeux malins, à ces cheveux rares soigneusement disposés sur le crâne. C'était Joe Overton " l'Honnête " en personne.

Le vieil homme témoigna bientôt qu'il n'avait pas oublié Duncan :

— C'est vous? grogna-t-il, qu'est-ce que vous faites ici par une nuit semblable?

— Et vous? rétorqua Duncan.

— Moi! J'ai rendu visite à mon fils. Je ne serais pas dans ce sacré tacot si ma voiture n'avait pas calé. Une bielle coulée. Attendez un peu que j'attrape mon chauffeur, je lui tordrai le cou.

Il sortit un cigare de sa poche, en mordit le bout et s'apprêta à l'allumer.

— Vous allez loin?

— Strath Linton, répondit Duncan.

— Ah! dit l'autre avec un éclair d'intérêt. Quelle délicieuse vallée! Je circule pas mal autour de ce coin moi-même. Le plus grand projet de ma vie : un barrage, des écluses, des turbines, des générateurs. Oui, je réaliserai tout ça et j'emploierai plus d'un millier d'ouvriers. Tous vos amis du Conseil municipal de Levenford sont avec moi.

« Quand nous aurons fini, nous fournirons l'électricité à la moitié des comtés qui nous entourent. Nous en aurons pratiquement le monopole, sans parler de nos usines d'aluminium, que nous alimenterons par-dessus le marché.

Duncan resta silencieux. En plus de ce que Jeanne lui avait raconté, on avait beaucoup parlé de ce projet dans la presse locale. Une violente controverse s'était élevée au sujet de ce plan qui, bien que d'une utilité certaine, allait détruire la beauté d'un site réputé à des milles à la ronde.

— Vous voyez ce petit fils à papa, là-bas? (*Joe l'Honnête désigna leur compagnon de voyage, toujours absorbé dans sa lecture.*) C'est Alex Aigle, le fils de Sir John Aigle. Dieu! Vous ne pouvez imaginer les ennuis que nous a faits cette satanée famille, que n'ont-ils pas fait pour démolir nos projets et sauvegarder leur paysage de carte postale! Mais je les ai eus.

Il se frotta les mains, puis dirigea ses petits yeux rusés vers Duncan :

— Dites donc, si je ne suis pas indiscret, qu'est-ce qui vous amène dans la vallée de Linton?

— Je viens remplacer le médecin local, le docteur Murdoch.

— Murdoch! s'exclama son interlocuteur avec véhémence, ce vieux débris avec son col à manger de la tarte!

Duncan demanda froidement :

— Vous connaissez le docteur Murdoch?

— Trop bien, grogna l'autre. Je lui ai demandé de me rendre un service pour certains cas d'assurances sociales. Quelques-uns de mes hommes ont été assez idiots pour attraper de l'entérite. Ne voilà-t-il pas qu'ils se mettent tous à réclamer des indemnités de maladie? Au lieu de m'aider, ce vieux diable accuse la nourriture de la cantine et me menace de témoigner en justice si je ne paye pas les indemnités.

— Et, bien entendu, il se trompe? demanda doucement Duncan.

— Qu'il ait tort ou raison, je n'oublierai pas le docteur Murdoch si vite. Dites-le-lui de la part de Joe Overton quand vous le verrez. Je suis heureux qu'il soit malade, il est temps qu'il claque. On a besoin d'un médecin à la page à Linton. Et qui sait? Je suis peut-être l'homme qui l'amènera.

— Vous perdrez votre temps, dit Duncan froidement, tout le monde adore le vieux Murdoch dans le Strath.

Détournant la tête, il sortit un livre de médecine et se mit à lire. A un moment donné, il crut surprendre un demi-sourire d'approbation sur le visage du jeune Aigle.

Bien qu'il tentât de concentrer sa pensée sur son livre, Duncan fut content d'arriver au terme de son voyage glacé. Il traversa la blancheur ouatée du village. La neige craquait sous ses pas et le froid givrait son souffle. Une curieuse exaltation l'envahit. Il avait l'impression d'être un écolier qui rentre chez lui.

Au bout de la route, les lumières de la maison du docteur scintillaient dans la nuit. Il gravit les marches de pierre et souleva le lourd marteau, mais avant qu'il pût le laisser retomber, la porte s'ouvrit toute grande et il vit la silhouette de Jeanne se profiler dans la chaude lumière du vestibule.

— Entrez, s'écria-t-elle. Oh! je suis si heureuse de vous voir! Comme c'est bon à vous d'être venu!

Elle l'aida à se débarrasser de son pardessus, ses yeux étaient brillants de joie.

— Et votre bras, demanda-t-elle à voix basse, n'est-ce pas merveilleux?

Elle n'en dit pas plus long sur ce sujet. Mais le bonheur qui perçait dans sa voix le toucha profondément.

— Pas aussi merveilleux que votre accueil, Jeanne.

Il restait là à la regarder, peu soucieux de quitter le réconfort de son affectueuse présence.

— Où est le malade? demanda-t-il enfin.

— Là-haut, dans sa chambre. Il est d'une humeur affreuse, ce qui indique qu'il n'est pas si malade.

— En tout cas, je vais aller jeter un coup d'œil sur lui tout de suite.

Il sourit de nouveau et se dirigea lentement vers l'escalier. Le vieux docteur était assis dans un grand fauteuil, le dos appuyé à des coussins, une couverture sur les genoux, une bouillotte sous les pieds. Ses joues étaient congestionnées et son front écarlate, cependant, malgré ses yeux luisants de fièvre et embrumés par le rhume, son regard fustigea Duncan du même courroux indomptable :

- Ainsi, siffla-t-il, voici le grand homme lui-même, venu tout droit de son laboratoire et de ses impeccables blouses blanches!

Duncan se força à rester impassible.

— Vous devriez être au lit, dit-il brièvement, vous devez avoir au moins 40° de fièvre, et vous être cyanosé.

— Cyanosé, l'imita Murdoch, ce doit être encore l'un de vos termes scientifiques. Que Dieu me bénisse! Rien qu'à l'entendre, je me sens déjà guéri!

— Je vous en prie, ne vous agitez pas. Vous aggravez votre état.

— Peut-être bien, bredouilla Murdoch, mais je me guérirai tout seul, cher professeur, sans votre fatras scientifique. Je ne vous ai pas envoyé chercher, moi, c'est Jeanne qui l'a voulu. Et si vous osez placer une goutte de vos sacrées nouvelles drogues près de moi, je trouverai la force de me lever de mon fauteuil et de vous casser la figure!

Il se tut, puis ajouta avec une lourde ironie :

— Mais j'avais presque oublié, comment va votre chère amie?

Duncan grinça des dents :

— Elle va très bien.

Murdoch éclata :

— Vous m'avez profondément déçu, impudent morveux. Vous devriez avoir honte de vous-même!

— Et vous aussi, vieux fou obstiné!

Mais Duncan vit bientôt que cette scène bouleversait le malade, et il s'efforçait de contrôler son exaspération.

— Voudriez-vous me donner votre liste de visites à faire demain? demanda-t-il simplement.

Murdoch grogna :

— Jeanne vous la donnera.

— Merci.

Duncan lui tourna le dos.

— Il y a une femme malade à Blain Dhu, dit Murdoch, la femme de Mc Kelvie, le gardien. Elle se meurt, pauvre femme, d'une double pneumonie. Ce serait trop demander à un savant à la noix de coco d'aller jeter un coup d'œil sur elle par une nuit comme celle-ci. (*Il évita le regard de Duncan.*) Mais un homme, un vrai, irait.

— Où se trouve Blain Dhu?

— C'est un petit coin à quinze kilomètres dans la montagne. Hamish connaît la maisonnette.

Murdoch se tut et leva lentement les yeux :

— Voulez-vous me faire croire que vous voulez y aller?

Duncan se contenta de lui rendre son regard.

— Mettez-vous bien dans la tête, souffla Murdoch avec mauvaise humeur, que vous ne pouvez rien pour elle. Mais au moins ça fera plaisir au mari. N'essayez pas des traitements de fantaisie sur une pauvre femme à son lit de mort, ou sans cela Mc Kelvie vous cassera la tête sur l'heure.

— J'essaierai tous les traitements qu'il me

plaira, lança Duncan par-dessus son épaule, et que le diable emporte Mc Kelvie et vous!

Il claqua la porte.

En bas, il pénétra dans la petite infirmerie — quelques rayons de bois et quelques fioles —, presque pathétique dans sa nudité. Il s'empara de la trousse de Murdoch, un petit sac de cuir élimé et taché par les intempéries. Il l'ouvrit et vit, arrangés avec un soin méticuleux, les médicaments les plus simples — les plus sûrs traitements de toutes les maladies — une seringue hypodermique, de la strychnine, de la morphine, une paire de forceps désuets, des ligaments, des aiguilles. En somme, un arsenal si primitif qu'il aurait pu servir au maître Hippocrate en personne.

Avec un étrange battement de cœur, Duncan porta la trousse dans la voiture et s'installa sur le siège près de Hamish. Ils démarrèrent. La neige s'était encore épaissie. Là où on l'avait balayée, elle s'élevait en monticules au bord de la route. Mais quand ils quittèrent la grande route pour aborder les chemins étroits de la colline, la voiture se mit à patauger et à s'embourber.

Tout autour d'eux, les branches de sapins recouverts de linceuls blancs se dressaient comme des spectres.

Ils montaient de plus en plus haut. Aux virages, de soudaines bourrasques de vent les giflaient, noyant la plainte du pare-brise et le crissement des pneus sur la neige.

Il s'écoula une bonne heure avant que Hamish rangeât la voiture devant une humble maisonnette. On les attendait sans doute, car la porte s'ouvrit dès que la voiture s'arrêta.

Après la blancheur tourbillonnante de la neige illuminée par les phares sur la route, l'intérieur de la petite maison semblait particulièrement obscur. Clignotant des yeux, Duncan, après un moment, distingua la silhouette du garde-chasse. Il vit que c'était un jeune homme d'une trentaine d'années, les traits tirés par l'angoisse. Près de l'âtre, une vieille femme — une voisine sans doute — le regardait entrer, entourée de deux enfants silencieux. Les yeux des quatre personnages étaient fixés sur lui avec une intensité muette et une méfiance retenue.

— Le docteur Murdoch est malade, dit Duncan, je suis le docteur Stirling.

— Pauvre Annie.

L'homme se laissa tomber sur une chaise et enfouit sa tête dans ses mains. En voyant la détresse de leur père, les deux enfants se mirent à pleurer. La femme les attira à elle, essayant de les consoler lugubrement.

— Pleurez pas, mes pauvres gosses, malgré que vous soyez déjà comme des orphelins.

Duncan lutta de toutes ses forces contre l'impression pénible que lui procurait ce sinistre accueil. Dans un coin éloigné de la pièce, il entendit une respiration laborieuse. Il posa le sac de Murdoch sur la table et s'approcha de l'alcôve où gisait la malade.

Un seul coup d'œil lui suffit à comprendre la gravité de l'état de la jeune femme. Point n'était besoin ici de l'attirail scientifique de ses derniers travaux.

La malade, jeune et encore jolie malgré les ravages de la fièvre, était, sans aucun doute, atteinte de pneumonie double. Visiblement, elle allait mourir.

Une émotion profonde naquit en lui. L'instinct de la lutte, irrésistible, s'élevait en lui. Il fallait qu'il combatte. En même temps que le besoin de guérir, une sensation de puissance et de foi en lui-même l'envahit. Cette femme était en danger de mort, mais elle vivait encore. Et il ne la laisserait pas mourir, il ne le pouvait pas.

Il se débarrassa de son pardessus, de sa veste et releva les manches de sa chemise. Il appela la vieille femme près de la cheminée :

— Il va me falloir de la neige, lui dit-il, au moins deux ou trois seaux.

Il retourna à la table et ouvrit la trousse. Il avait devant les yeux clairement le plan de sa campagne : d'abord lutter contre la fièvre, puis soutenir les forces fléchissantes jusqu'à la crise.

Il installa confortablement la malade, ne gardant qu'une seule couverture pour la protéger. Il n'avait pas de glace à sa disposition, mais la nature l'avait pourvu d'un élément semblable, sinon meilleur. Quand la neige lui fut apportée, il s'en servit avec prodigalité pour frictionner le jeune corps brûlant et émacié.

Puis il prit la température. La fièvre avait entièrement baissé. Avec précaution, il prépara une dose infime de strychnine et, avec la seringue hypodermique, l'injecta à la jeune femme.

Une heure s'écoula. Les deux enfants s'étaient endormis sur le vieux canapé près de la cheminée. La vieille avait cessé ses lamentations et le regard qu'elle fixait sur Duncan n'était plus méfiant et désapprobateur. On y lisait de l'intérêt et un respect grandissant. Mc Kelvie, lui aussi, semblait se rendre compte des efforts fournis par Duncan.

— Docteur, chuchota-t-il, vous croyez qu'elle a une chance de s'en tirer?

— Tais-toi, John Mc Kelvie, intervint la vieille, et laisse le docteur faire son travail.

Bientôt il fut trois heures du matin. Assis au bord du lit, les cheveux hirsutes, le col ouvert, Duncan, ses doigts crispés sur le poignet de la malade, sentit un vertige s'emparer de lui. Depuis deux heures, il administrait de la strychnine. Il lui semblait qu'il y avait des heures et des heures qu'il s'était jeté à corps perdu dans la lutte. La température était stationnaire, la respiration sans rechutes, mais le pouls semblait devenir de plus en plus faible. Sous la pression de ses doigts, les battements disparurent, reprirent faiblement à nouveau et puis... s'arrêtèrent...

— Las! murmura tristement la vieille à son côté, vous avez fait de votre mieux, docteur, mais elle a passé.

Dans sa révolte contre les mots définitifs, Duncan se sentit pris d'une inspiration désespérée. Se détournant rapidement, il prit un flacon d'éther, en remplit la seringue et l'enfonça dans le côté gauche de la jeune femme inconsciente. Puis, à l'aide de ses mains, de toute sa force, il se mit à masser le cœur épuisé. Il sentit sous ses mains une pulsation lente, convulsive. Le cœur battit une fois, hésita, s'aventura dans un second battement, puis un troisième, et lentement reprit son rythme incertain.

Duncan craignit la crampe dans ses mains crispées, mais il n'osait pas changer de position. Il savait que chaque seconde qui passait travaillait pour lui. Gagner du temps, gagner du temps; si seulement il pouvait la faire tenir jusqu'à la crise.

Elle n'avait pas bougé depuis la minute terrible de la syncope. Mais maintenant, elle agite soudain la tête sur l'oreiller avec un faible gémissement. Une espérance forcenée naquit en lui. Puis il vit une goutte de sueur sur le front de la jeune femme. Une seule. Fasciné, il la regarda descendre lentement sur la joue. Puis elle fut suivie d'une autre goutte, d'une autre encore. Bientôt, elle fut baignée de transpiration. La fièvre était tombée, la crise venait, elle était sauvée.

Quand Duncan se leva, les premières lueurs de l'aube pénétraient par la fenêtre. Malgré sa fatigue, il sentit une étrange exaltation l'envahir. Lentement, il se lava le visage et les mains et remit sa veste. Ce n'est qu'à ce moment-là que, dans un sursaut, il reprit conscience de la présence de Mc Kelvie.

Le garde forestier le regardait. Il commença :

— Docteur...

Mais sa voix se brisa. Aucune louange, aucun remerciement n'aurait pu égaler ce seul mot, n'aurait pu surpasser le sanglot qui s'étouffa dans la gorge de l'homme.

— Allons, allons, l'homme! N'ennuie pas le docteur, intervint la vieille, activant le feu.

— Venez ici, docteur, et mangez-moi cette soupe de pois. J'en ai préparé un peu pour le déjeuner des mioches et vous en aurez la première assiettée. Il n'y a pas d'homme sur terre qui le mérite plus que vous après cette nuit de travail.

Duncan avala le délicieux bouillon enrichi de crème de lait. Il lui semblait que jamais auparavant, dans sa vie, il n'avait goûté quelque chose d'aussi bon. Mc Kelvie mangea avec lui et Hamish, sortant de la grange où il avait passé la nuit, vint prendre place à côté d'eux. Les enfants à leur tour s'éveillèrent et s'approchèrent avec crainte du lit de leur mère. Puis aussi, prirent place à table.

La neige avait cessé de tomber quand ils se mirent en route et le soleil teintait le ciel d'une lueur rouge. Hamish, pour une fois, se montra étonnamment bavard. Apparemment, les préjugés qu'il nourrissait contre Duncan avaient fondu dans la nuit et il bavarda amicalement jusqu'à ce qu'ils atteignissent le village.

— Je connais quelqu'un qui sera bien content de ce que vous avez fait, déclara-t-il, c'est le docteur, qui a mis Annie Mc Kelvie au monde. Et il était bien malheureux de voir qu'elle allait mourir.

Duncan pénétra doucement dans la maison et monta au premier étage à pas de loup. Malgré ses précautions, Murdoch l'entendit et, de sa voix rude, l'appela. Il s'arrêta, puis décida d'entrer dans la chambre du vieux docteur.

— Eh bien, demanda Murdoch d'un ton

singulier, avez-vous aidé la pauvre créature à mourir?

Duncan esquissa un geste épuisé.

— Elle va mieux maintenant. Elle a eu sa crise à quatre heures du matin. Que le diable vous emporte, elle sera sur pieds avant vous.

— Vous plaisantez?

— Pas le moins du monde, dit Duncan d'une voix lasse.

Le visage du vieil homme resta impassible. D'une voix basse, il ronchonna :

— Allez vous coucher et dormez deux bonnes heures. Vous avez une rude journée devant vous. Et les visites sont à neuf heures.

Il n'y avait rien dans ces mots qui pût retenir l'attention. Cependant, la façon dont Murdoch les prononça procura à Duncan une satisfaction inattendue.

QUATRIÈME PARTIE

La commune entière fut bientôt au courant du succès obtenu par Duncan dans la guérison d'Annie. Il n'y eut pas d'acclamations, rien que l'acceptation polie de la présence du docteur étranger et l'espoir, pieusement exprimé, qu'il pouvait y avoir du bon dans ce jeune homme.

Les jours passèrent, chacun d'eux apportant ses efforts, ses expériences, ses fatigues physiques et morales. Duncan sentait chaque jour son expérience médicale s'accroître. Bien sûr, la pensée de Margaret et sa souffrance vivaient toujours en lui et, à certains moments, des vagues de désespoir le submergeaient encore. Mais la blessure était moins douloureuse qu'il ne l'avait craint.

Les longues journées grises de neige étaient passées et il lui arrivait de faire quarante kilomètres dans ses tournées du matin. Il en revenait exalté et affamé. Et toujours, dès qu'il avait franchi le seuil de la maison, le repas était prêt pour lui, abondant et savoureux. Duncan s'étonnait de la calme perfection avec laquelle Jeanne menait la maison.

Il lui dit un jour, deux semaines après son arrivée à Strath Linton :

— Jeanne, l'homme qui vous épousera aura épousé la perfection faite femme.

Elle se détourna pour qu'il ne voie pas son visage et c'est d'une voix étrangement altérée qu'elle demanda :

— Vous croyez vraiment?

— Et comment! (*Son ton était à demi sérieux.*) Et quand votre père prendra sa retraite — ce qu'il devrait faire bientôt — il vous mariera avec une dot rondelette.

Elle se retourna vivement vers lui, le visage agité et tendu.

— Ne parlez pas ainsi, cela ne vous ressemble pas!

— Mais, Jeanne...

— Comment pouvez-vous être aussi optimiste au sujet de mon avenir? D'ailleurs, vous ne comprenez pas notre position. Père ne peut tout simplement pas prendre sa retraite. Il ne peut pas se le permettre. Nous ne sommes pas riches, nous sommes pauvres. Nous ne possédons rien, à part cette maison et les meubles qu'elle contient. Mon père n'a pas soigné ses malades pour en tirer profit. (*La fierté domina sa détresse.*) Toutes ces dernières années, ça a été une lutte sans merci pour joindre les deux bouts. Encore maintenant, nous devons une grosse facture sur les médicaments. Et quand vous parlez si sottement de mon mariage...

Elle s'arrêta court. Des larmes brillaient dans ses yeux.

Bien qu'il ne comprît pas pourquoi il l'avait offensée, Duncan vit qu'il l'avait blessée et qu'elle avait de la peine, et c'est d'une voix contrite qu'il lui dit :

— Je suis désolé, Jeanne. J'essayais tout simplement de faire de l'esprit.

— C'est moi qui suis bête de m'émouvoir pour des choses pareilles. (*Elle se recula et essaya de maîtriser sa voix.*) Eh! j'allais oublier. On a téléphoné pour vous juste avant le déjeuner. Il y a quelqu'un de légèrement blessé à l'usine hydro-électrique de Loch Linton. M. Overton a demandé si vous pourriez passer cet après-midi.

— Overton? répéta-t-il en écho... à l'usine hydro-électrique!

— Oui. Si jamais on parvient à tirer de l'argent de cette région, c'est lui qui l'empochera, avec sa main-d'œuvre exploitée et ses matériaux au rabais.

Duncan était pensif quand, après le déjeuner, il monta dans la voiture et se dirigea vers Loch Linton. La route serpentait le long de la colline jusqu'au plateau entouré de montagnes. Il atteignit enfin l'extrémité de la vallée, d'où on avait une vue magnifique.

Mais le charmant petit lac de montagne que

Duncan venait admirer autrefois n'était plus là. Il était remplacé par l'œuvre dévastatrice créée par la main de l'homme. Des rangées de cabanes lugubres longeaient la rive. La plupart des arbres avaient été brutalement abattus. Tout autour s'élevaient d'énormes monticules de terre. Des détritus de toutes sortes, des boîtes de conserves vides, des bouteilles cassées jonchaient le sol. D'un côté, une colonne de cheminée vomissait de la fumée et des étincelles. De l'autre, de grands mélangeurs de béton broyaient les matériaux qui serviraient aux fondations des usines d'aluminium.

Duncan rangea sa voiture et se dirigea par un sentier à peine défriché vers une cabane où on lisait : " Bureau. Défense d'entrer. " Trois hommes s'y tenaient assis : Overton, un autre gros homme en bleu de travail et, à sa grande surprise, Leggat, l'avocat de Levenford.

Overton se leva avec un grognement.

— Vous, enfin! Je me demandais quand vous vous décideriez à venir. Vous connaissez M. Leggat, c'est le conseil judiciaire de ma compagnie. Et Lem Briggs, mon contremaître.

Duncan échangea un salut avec Briggs et un simple regard avec l'avocat.

— J'ai cru comprendre que vous aviez eu un accident, dit-il.

— Pas grand-chose, protesta Joe. Une jambe contusionnée. Un tronc d'arbre a cédé et un peu de béton est tombé sur l'idiot qui se tenait juste en dessous.

— Le bois n'a pas cédé, intervint Leggat, il a glissé.

Rien qu'au ton, Duncan sut que l'avocat mentait.

— Puis-je jeter un coup d'œil sur le blessé? demanda-t-il.

L'homme était couché sur une couchette, dans l'un des dortoirs de bois. Duncan examina longuement la jambe endommagée. Il décela très vite, sous l'enflure, une fracture bien définie.

— Pas d'os brisés, hein? suggéra Joe Overton. Ce n'est pas encore un cas d'indemnité de maladie, non? Avec tout l'argent que j'ai déjà perdu dans cette usine, je n'ai plus les moyens de me permettre des fantaisies de ce genre.

— Fracture transversale du tibia, répondit Duncan. Je ferai mon rapport ce soir.

Overton laissa échapper un juron.

— Ce tronc était pourri, monsieur Overton, dit l'ouvrier. Je l'ai entendu craquer. Il y a des bestioles dans la moitié des troncs que nous employons.

— La ferme! aboya Briggs.

— Lem (*le ton de Leggat s'était fait doucereux*), vous êtes très dévoué à la compagnie. On n'appelle pas M. Overton Joe l'Honnête pour rien. Ce pauvre garçon touchera son mois entier. Même si c'est entièrement sa faute, nous savons tous que ça peut arriver à tout le monde. (*Il s'arrêta un moment.*) ... Et aux matériaux. Personne n'est infaillible.

Joe l'Honnête jeta un rapide coup d'œil à son avocat.

Pendant ce temps, Duncan s'occupait à bander la jambe blessée et, avec ce qu'il avait sous la main, il réussit à former une gouttière rudimentaire.

— Pas mal du tout, commenta Overton avec une admiration involontaire. Je suis vraiment heureux que vous ayez réussi à devenir médecin. Je crois que vous voyez beaucoup mon fils?

Duncan acquiesça d'un signe de tête.

— Eh! ça c'est un fils dont je peux être fier! Avec les espoirs qu'il a à la Fondation Wallace, et ce beau mariage qu'il fait, il sera au faîte de la profession avant que vous ayez eu le temps de dire « ouf! ». (*Il se frotta les mains avec satisfaction.*) Évidemment, Stirling, vous n'irez pas aussi loin. Mais je ne dis pas que je ne vous donnerai pas un petit coup de main pour vous procurer une bonne situation que j'ai en vue, si vous n'êtes pas trop gourmand, bien entendu. Combien vous faites-vous avec le vieux Murdoch, en bas?

— Assez peu.

Duncan referma sa trousse et Joe l'Honnête se mit à rire cyniquement.

— Et comment voulez-vous vous entendre avec un vieux crétin pareil? Écoutez, j'ai comme l'impression que ma compagnie aura besoin d'un médecin, ici, quand nous serons organisés. Vous êtes tout à fait l'homme qu'il nous faut. Pensez-y avant que je vous en reparle. En attendant, vous voulez un cigare?

— Non, merci. Je dois partir.

Duncan se déroba à cette fausse jovialité. Puis, arrivé devant sa voiture, il s'arrêta et dit froidement :

— Si vous voulez bien me régler, maintenant, cela fait une demi-guinée, s'il vous plaît?

— Comment?

— A moins que... (*Duncan le regarda bien en face*) vous estimiez que ce n'est pas assez!

Joe l'Honnête maîtrisa son mécontentement, sortit lentement un billet de son portefeuille et le tendit à Duncan.

— Voilà. (*Il se força à sourire.*) J'ai bien dit que vous étiez un jeune homme plein d'avenir. Je ne vous blâme pas de vous faire un peu d'argent de poche sur le dos du vieux cornichon. Je vous l'ai déjà dit, vous et moi, on fera du bon travail ensemble, un de ces jours. Donnez-moi votre adresse.

— Vous la trouverez dans le bottin médical, répondit brièvement Duncan.

— Oui, sûr que je vous trouverai, si j'ai besoin de vous.

Il lui tendit une main moite.

En rentrant au village, Duncan ne cessa de frotter ses doigts, comme s'il avait voulu effacer le contact visqueux. L'entrevue lui laissait une impression désagréable, sans proportion avec l'importance qu'elle avait. Cette comédie, au barrage, lui semblait louche, inquiétante. Et, derrière l'offre à demi proposée d'Overton, il sentait un mobile inavoué. Il avait l'intention de raconter sa visite à Murdoch et ce qu'il en pensait. Mais, finalement, il décida de ne rien dire au vieil homme. Le seul nom d'Overton le mettait dans une rage furieuse. Il se contenta de glisser la demi-guinée dans la boîte à thé, sur la desserte, où Jeanne rangeait toutes les petites sommes produites par les visites. Il pensait : “ Au moins, Joe l'Honnête aura fourni le dîner de dimanche. ”

Murdoch fut en état de se lever un mois après l'arrivée de Duncan à Strath Linton. Un après-midi, chaudement emmitouflé, il finissait de jardiner un peu quand Duncan revint de sa tournée de visites.

Instantanément, la singulière contrainte qui marquait leurs nouvelles relations retomba sur eux. Murdoch savait à quel point Duncan se donnait à son nouveau travail et, en son for intérieur, il comprenait qu'il s'était trompé sur les relations existant entre lui et Anna Geisler. Duncan, de son côté, regrettait profondément la colère qu'il avait témoignée au vieux docteur. Mais, bien que tous deux aspirassent à la réconciliation, aucun d'eux ne voulait faire le premier pas.

— Ainsi, vous êtes allé dans le jardin, dit Duncan calmement. Cela vous fera du bien.

— Du bien, mon œil! (*Le vieux docteur se renfrogna par pur esprit de contradiction.*) Combien de mes malades avez-vous tué cet après-midi? Après votre départ, il faudra que je fasse l'appel pour compter les survivants.

Duncan suspendit son manteau et son chapeau au portemanteau.

— Vous êtes resté dehors trop longtemps. Vous devriez prendre votre thé. Où est Jeanne?

Il était étrange qu'elle n'arrivât pas immédiatement en l'entendant l'appeler.

— Taisez-vous, jeune homme! s'écria Murdoch avec irritation, laissez ma fille tranquille. Retta nous servira le thé, pour une fois.

Surpris, Duncan suivit Murdoch dans le salon, où le feu brûlait gaiement dans la cheminée. Presque aussitôt, la bonne apporta le plateau du thé.

Duncan pensa à haute voix ;

— Cette pièce semble vide quand nous sommes ainsi seuls tous les deux.

— Ma fille s'habille, expliqua Murdoch d'un air renfrogné, elle va au bal ce soir.

Duncan dissimula sa surprise. Il savait, bien entendu, qu'il y avait bal ce soir-là; c'était un événement marquant dans le canton, mais Jeanne n'avait pas exprimé l'intention de s'y rendre. Son étonnement devait pourtant être visible, car Murdoch se tourna vers lui :

— Et alors? Cette jeune fille n'a-t-elle pas droit à une soirée d'amusement alors qu'elle trime tous les jours de l'année?

— Mais... mais, je ne dis pas le contraire, dit Duncan avec précipitation, c'est simplement que... eh bien! que... je ne me doutais pas que... (*Il remua son thé beaucoup plus longtemps qu'il n'était nécessaire.*) Va-t-elle à ce bal seule?

— Bien sûr que non! Elle sera accompagnée d'un jeune homme qui s'intéresse à elle depuis bien des années.

Abasourdi, Duncan se força à sourire :

— Et qui peut bien être ce jeune homme?

Murdoch lui jeta un singulier coup d'œil.

— Alex Aigle, répondit-il calmement, un garçon vraiment bien, le fils de Sir John Aigle.

Duncan s'efforça de cacher ses sentiments. Il sortit lentement sa pipe et se mit en mesure de la bourrer. Son souvenir du jeune homme tel qu'il lui était apparu dans le car était tout à l'avantage de ce dernier. Jamais il ne lui était venu à l'esprit que Jeanne pût avoir un soupirant aussi remarquable. Il lui paraissait tout naturel qu'elle fût là, empressée et douce. Sa présence faisait partie du charme de Linton. Et, subitement, cette nouvelle imprévue... Duncan s'étonna de sa propre consternation.

Il en était là de ses pensées quand Jeanne, vêtue d'une robe du soir, arriva dans la pièce.

— Reste-t-il encore une tasse de thé? demanda-t-elle gaiement.

Duncan l'observa. Auparavant, il ne l'avait jamais vue que vêtue des vêtements les plus simples. Sa robe de tulle blanc était pourtant bien modeste, mais sa fraîcheur et sa légèreté accentuaient la sveltesse du jeune corps, donnaient un charme nouveau au doux visage. Ses cheveux aussi étaient coiffés différemment. Des fleurs blanches étaient piquées dans les boucles brunes. Ses yeux brillaient d'une joie anticipée à la pensée de la soirée.

— Mais, Jeanne, dit Duncan à voix basse, vous êtes aussi jolie, plus jolie même que ces fleurs dans vos cheveux!

La sonnette de la porte retentit soudain. Quelques instants plus tard, Aigle fut introduit dans le salon. Son pardessus noir et son écharpe de soie blanche lui constituaient une silhouette fort élégante.

— Bonsoir, monsieur. Je suis ravi de voir

que vous allez mieux. (*Il se tourna vers Jeanne.*) La première, la cinquième, la neuvième et la dernière. Et je vous préviens que je n'accepte pas de refus! Si je ne les retiens pas maintenant, je n'en aurai plus une seule!

Jeanne rougit.

— Vous allez me tourner la tête avec ces bêtises. Vous connaissez le docteur Stirling, Alex?

Aigle tendit la main.

— Je crois que nous avons fait un voyage en car ensemble, un soir.

Duncan balbutia quelques paroles indistinctes. Il n'avait jamais été brillant dans les salons. La chaleur de l'accueil réservé à Aigle par Jeanne et son père ajoutait encore à son embarras. Aigle aida Jeanne à passer son manteau et Duncan, le cœur lourd, les vit partir tous deux souriants et heureux.

Le reste de la soirée, il lutta contre un sentiment de solitude et de colère, dirigé entièrement contre lui-même. Puis, au moment où il se disposait à aller se coucher, Retta lui porta un télégramme.

Il l'ouvrit rapidement et lut :

Êtes engagé pour recherches chirurgicales Fondation Wallace, Edimbourg. Commission vous offre aussi chaire Pathologie. Commencerez dans une semaine. Occasion brillante et exceptionnelle. Vous conseille fortement accepter. Répondez d'urgence. - Geisler.

Il songea avec une sombre satisfaction :
" J'en ai fini de cette vie mesquine de médecin de campagne. Maintenant, je suis sur la bonne voie et, par Dieu! je vais leur montrer à tous de quoi je suis capable! Qu'elle épouse son Aigle, et voilà tout! "
Il rédigea rapidement la réponse :

Serai au rendez-vous. Tous deux allons étonner Wallace. Amitiés. Duncan.

L'autopsie était terminée. Avec un signe de tête à ses assistants, Duncan quitta la froide salle de dissection, située dans le sous-sol de la Fondation Wallace. Il grimpa l'escalier de fer et pénétra dans les quartiers qui lui étaient réservés dans la section de Pathologie.

Il se concentra, tâchant de rappeler à sa mémoire l'essentiel du cours qu'il allait faire. Son expression était ferme, presque tendue. Les deux années qu'il avait passées à la Fondation avaient durci les traits de son visage, lui avaient donné une autorité nouvelle. Son front portait les fines rides qui proviennent des stations prolongées au microscope. Ses yeux étaient froids et impitoyables.

Sa méditation fut interrompue par des coups à la porte. C'était le docteur Heddle, son assistant :

— Le docteur Geisler a téléphoné pour demander quand nous pourrons lui donner les coupes de moelle.

— Cet après-midi au plus tard. Dites-lui que je passerai la voir en allant à l'amphithéâtre pour mon cours.

— Bien, chef.

Le jeune interne s'arrêta, rassemblant son courage à deux mains. Duncan l'intimidait toujours.

— A propos, le professeur Lee a assisté à la dissection. Il dit que ces tissus neurologiques que vous avez isolés sont ce qu'il a vu de mieux durant ses cinquante années d'expérience. Comment vous dire à quel point nous sommes tous contents que cette expérience ait si bien réussi?

Duncan secoua la tête, s'efforçant de ne pas être touché de la loyauté de Heddle ou des compliments du principal de la Fondation. Cette impassibilité qu'il avait acquise peu à peu faisait maintenant partie de lui-même. La poussée de son ambition était plus sûre maintenant qu'elle était protégée par cette dureté.

Quand son assistant fut parti, il rassembla les feuillets sur son bureau et traversa un grand laboratoire. Il arriva au bureau du sous-chef du service Chirurgie, le docteur Geisler.

Anna était penchée sur une pile de microphotographies. Sans lever la tête, elle dit, tendue :

— Ces chromosomes se séparent très nettement.

— Très intéressant.

— Vous pourriez témoigner un peu plus d'enthousiasme. Après tout, c'est grâce à eux que vous êtes sur le point de vérifier votre nouvelle théorie.

Il répondit sans sourire :

— Je savais déjà cela hier soir.

Se redressant, elle rejeta ses cheveux en arrière.

— Après deux ans d'efforts acharnés, nous sommes sur le point d'établir une théorie révolutionnaire de la régénération du neuron, théorie qui va bouleverser la chirurgie neurologique et va vous faire faire un bond de géant dans la carrière, et vous...

— Que voulez-vous que je fasse? Que je marche sur les mains?

Elle secoua la tête.

— Le caractère écossais me dépasse! Travailler toujours, ne jamais se distraire!

Il l'observa avec un détachement cynique.

— La distraction n'est pas au programme. Quand j'ai décidé de me mettre à cette corvée, je savais ce que je faisais et où, très exactement, j'allais.

— Vraiment! Et moi j'avais la stupide impression que c'était pour m'aider.

— Ne vous inquiétez pas. Peu importe

lequel de nous deux est au volant, nous allons dans la même direction, répliqua Duncan.

— Merci de me rassurer. Et quelle est votre direction?

Il haussa les épaules :

— Dans trois ans, je serai le premier spécialiste de tout Edimbourg. J'irai examiner en voiture les cas les plus importants, je ferai mes auscultations en quelques minutes, j'écrirai mes ordonnances la main sur la poignée de la porte. Je ne chercherai jamais à savoir — et ne m'en soucierai du reste pas — si mon malade est vivant ou mort. Je serai envié, admiré, craint. En bref (*et sa voix perdit de son ironie, devint tendue*), je serai célèbre.

Elle s'exclama avec amertume :

— Grands dieux! Est-ce là le jeune homme qui mourait de faim et appelait la musique de Schumann un petit air?

Elle fronça les sourcils.

— Vous avez trop bien réussi ici. Notre doyen raffole de vous, de même que vos assistants d'ailleurs ou le docteur Inglis, quand il vient en ville. Vous avez deux fois autant d'étudiants à vos cours que le docteur Overton, qui est pourtant votre aîné. A propos, serez-vous à la réception de sa femme, ce soir?

— J'irai sans doute, répondit-il avec indifférence.

— Moi aussi. Vous savez, je ne la déteste

pas. Elle a beaucoup changé, à son avantage. Au début, ça me faisait rire de la voir installer son petit salon, si gaie et si charmante, se préparant à accompagner son beau mari aux sommets de la réussite sociale. Mais, maintenant, je ne ris plus. Je ne ris jamais quand je vois une femme malheureuse.

— Malheureuse? Quelle sottise!

— Ne croyez-vous pas que deux ans suffisent à la plus innocente épouse pour s'apercevoir qu'elle est mariée à un ignoble individu? Croyez-vous qu'il soit agréable de se réveiller chaque matin pour voir ce visage égoïste de débauché et penser : " Comme je me suis trompée sur lui! "

Il dit avec impatience :

— Qu'est-ce que ces radotages?

— Des radotages? (*Elle sourit ironiquement.*) Mais nous connaissons tous deux le docteur Overton, n'est-ce pas?

— Il n'est pas bien méchant.

— Vraiment? Mon cher Duncan, si j'ai un conseil à vous donner, prenez garde à cet homme! Il est si jaloux de vous que c'en est une maladie. Et il a des amis puissants.

— J'ai déjà su me garder dans le passé.

— Oui, mais dans l'avenir, dans l'avenir immédiat?

Son silence était lourd de signification.

Les mains enfoncées dans ses poches, il

essaya de comprendre ses sous-entendus, puis, brusquement, il rejeta ces pensées.

— J'ai un cours dans trente secondes exactement. Je ne peux rester ici plus longtemps à jouer aux devinettes. Ce soir, nous discuterons plus longtemps ces dernières expériences.

Quand le cours fut terminé, il se dirigea vers son cabinet de consultation, dans l'autre aile du bâtiment. Devant son bureau s'étendait une longue file de malades, indigents pour la plupart, envoyés là de tous les coins de la région. La grande réputation de la Fondation Wallace incitait les docteurs à diriger sur elle tous les cas particuliers ou intéressants. Pour Duncan, à présent, c'étaient moins des malades que des maillons d'une chaîne qui allait servir à faire tourner la roue de son ambition.

Aujourd'hui, il était encore plus brusque que d'habitude, examinant rapidement les fiches d'admission, dirigeant certains cas sur ses assistants.

Soudain, un malaise le pénétra. Il s'arrêta, levant involontairement la tête. Au premier abord, il ne pouvait en croire ses yeux. Au milieu de la file de malades, attendant son tour avec les autres, il y avait sa mère.

Il s'occupa des malades qui la précédaient comme dans un rêve. Puis le moment arriva où elle se tint devant lui, sa propre mère, son visage pâle et tiré, mais calme, n'indiquant par aucun signe qu'elle le reconnaissait. Elle lui tendit la lettre d'introduction de son médecin.

En la prenant, son sang-froid faillit l'abandonner. Tout autour de lui s'agitaient des internes, des malades, sa secrétaire, occupée à marquer dans un grand livre les renseignements indiqués sur la fiche d'admission : Martha Stirling; âge : cinquante-neuf ans. Il déplia la lettre avec brusquerie.

Quand il l'eut lue, il n'osa pas la regarder en face. D'une voix changée, il lui dit :

— Allez vous déshabiller dans la salle A. Je vous examinerai moi-même.

Cinq minutes plus tard, il la rejoignit dans une petite pièce obscure où l'on faisait des radioscopies.

— Mère!

Elle était assise sur la chaise métallique, petite silhouette pitoyable, une couverture d'hôpital sur ses épaules nues, mais, dans ses yeux, il y avait toujours la même sévérité sans appel.

— Le docteur Logan, de Levenford, m'a envoyée ici. Si j'avais su que c'était toi, je ne serais pas venue.

Il vit qu'elle était possédée du même entêtement qui lui avait fait repousser ses avances, ses cadeaux, ses offres d'argent et d'aide.

Il dit en hâte :

— Tu vas me laisser voir ce qui ne va pas,

mère, n'est-ce pas? Le docteur Logan n'a pas l'air très certain de ce que tu as.

— Il a peur que j'aie un cancer.

Comme toujours, elle ne mâchait pas ses mots.

Elle enleva lentement la couverture et le cœur de Duncan se contracta à la vue d'une tumeur petite, mais profonde. Malade d'appréhension, il demanda :

— Quand cela a-t-il commencé?

— Je me suis cognée contre le buffet il y a six semaines. Sur le coup, je n'y ai pas fait attention, mais plus tard...

Il regardait fixement la lésion avec une crainte croissante.

— Il faut que j'examine quelques cellules au microscope. Ça me permettra de voir si c'est grave ou si ce n'est rien, tu comprends?

Elle hocha courageusement la tête.

Il saisit un flacon de chlorure éthylique. Il fit un effort pour dominer le tremblement de sa voix :

— C'est un anesthésique local. Ça ne te fera pas de mal.

— Tu penses peut-être que tu m'as déjà assez fait de mal comme ça!

Elle le regarda calmement prélever un spécimen et le glisser sous le microscope.

Duncan sentit ses doigts trembler en ajustant le microscope; pendant quelques instants, sa vision fut brouillée, puis il arriva à distinguer un groupe de cellules normales. Son cœur battait avec violence. Il observa encore, cherchant sans les découvrir les indices effrayants du cancer. Finalement, il découvrit avec soulagement un groupe de staphylocoques. L'ulcère n'était pas cancéreux, c'était une simple infection qui pourrait facilement être guérie.

Il était si énervé qu'il n'osa se retourner. Pendant un moment, il resta penché sur le microscope, essayant de cacher son émotion. Il put finalement dire :

— Ce n'est rien! Il n'y a aucune adhérence.

Son expression ne changea presque pas, mais elle poussa un bref soupir.

— Me dis-tu la vérité?

— Dans un mois, tu seras parfaitement bien.

Il sembla à Duncan que, pendant quelques instants, sa fermeté faiblissait; mais, se raidissant, elle fut bientôt dure et calme comme à l'ordinaire.

— Tout ce qui nous arrive est la volonté du Seigneur. Je lui suis reconnaissante de m'épargner cette nouvelle croix.

Duncan, brûlant du désir de se justifier, ignora l'implication contenue dans ses paroles.

— Mère, que tu sois venue comme ça ici n'est pas purement accidentel, il semble que la Providence ait voulu nous prouver à nous deux... (*Il s'interrompit.*) Est-ce que ce que j'ai pu faire pour toi aujourd'hui ne signifie rien?

— Un autre n'aurait-il pu le faire aussi bien?

Il hésita.

— Ne me comprendras-tu donc jamais? Voilà que je suis arrivé, par mes seuls efforts, dans le plus célèbre institut médical de tout le pays. Je monte de plus en plus dans ma carrière, et pourtant, quand, par une coïncidence, nous nous trouvons face à face et que je peux éloigner de toi une sentence de mort, tu conserves à mon égard toute ta rancune et tous tes préjugés.

Elle le regarda, le visage impassible.

— Ce que tu me dis ne m'impressionne pas et ce que je vois non plus. Tu n'as pas bonne mine et tu n'as pas l'air heureux non plus. Tu es pâle et tendu. Il y a des rides sur ton front et des cheveux blancs à tes tempes. Ton visage a une expression inquiète comme si tu cherchais quelque chose sans pouvoir arriver à le trouver.

— Mais je le trouverai, dit-il avec chaleur. Je suis sur le point de réussir, et quand je serai tout en haut de l'échelle je tendrai les mains et j'obtiendrai ce que je veux.

Elle serra son vieux manteau sur ses épaules :

— Qu'est-ce que ça peut faire, trente shillings par semaine ou trente mille par an? Quelle importance de porter des vêtements de drap fin ou de tweed filé au village? Ce qui importe, c'est que les gens vous suivent des yeux dans la rue quand vous passez et pensent : " Voilà un homme de bien! "

Il voulut répondre, mais le rideau de la cabine fut tiré et le docteur Heddle, suivi d'un groupe d'étudiants, apparut.

— Un cas important vous attend.

Il lui était impossible de prolonger l'entrevue.

— Je dois vous quitter maintenant. Vous n'avez aucune raison de vous inquiéter, dit-il à sa mère d'une voix rassurante.

Prenant un morceau de papier, il écrivit rapidement :

Viens me voir ce soir, à six heures, à mon appartement, Princes Crescent, n° 24. Tu te trompes toujours sur mon compte. J'ai besoin de ton affection et de ton estime, je désire pourvoir à ton existence future.

Il signa, par habitude ou par dérision : *Docteur Duncan Stirling.*

Ce soir-là, Duncan attendit longtemps, mais elle ne vint pas. En son for intérieur, il savait qu'elle ne viendrait pas, mais la déconvenue n'en fut pas moins amère. Le désir intense de s'évader de ses pensées le fit se souvenir de la réception chez Margaret.

Il était neuf heures et demie passées quand il

franchit le seuil de la maison des Overton, située dans l'un des quartiers les plus élégants d'Édimbourg. Au premier étage, le salon tendu de soie crème était empli de monde. Margaret s'avança vivement à sa rencontre dès qu'elle l'aperçut.

— Duncan! s'exclama-t-elle, je suis si heureuse de vous revoir, je craignais que vous ne veniez pas.

Il essaya d'être gai :

— Je ne vous aurais certainement pas manqué dans cette foule.

— Mais si! protesta-t-elle rapidement.

Il remarqua qu'elle avait un air étrange. Ses yeux étaient très brillants avec de légers cernes mauves. Il ne lui avait jamais vu cette expression insatisfaite et provocante à la fois. Elle pouvait, si elle voulait s'en donner la peine, troubler n'importe quel homme.

— Vous connaissez tout le monde ici, dit-elle.

Il jeta un coup d'œil indifférent dans la pièce, mettant un nom sur une trentaine de personnes : le docteur Overton, verre en main, et tout un groupe; Mme Inglis; le professeur Lee, de la Fondation; Anna; plusieurs médecins de la Fondation et quelques hommes politiques.

— Ne vous inquiétez pas de moi, Margaret, je me débrouillerai.

A ce moment, deux nouveaux invités apparurent. Margaret le quitta en murmurant :

— Nous trouverons un moment pour bavarder tout à l'heure.

Il se tint un moment immobile, buvant un whisky-soda que le maître d'hôtel lui offrait sur un plateau. Bien qu'il détestât ces soirées ennuyeuses et prétentieuses, il s'obligeait à y assister. Elles faisaient partie de sa nouvelle existence; elles l'aideraient, elles aussi, à arriver.

Près de Mrs. Inglis, il aperçut le colonel Scott, qui lui adressa un salut amical. Ces dernières années avaient durement marqué le colonel. Ses cheveux s'étaient faits plus gris, sa silhouette plus maigre, son expression tendue. Apparemment, la part qu'il avait prise dans l'électrification de Linton avait porté un coup à son énergie et à ses finances. Maintenant que le plan allait enfin être terminé, il semblait soulagé et son accueil fut jovial.

— Bonsoir, Stirling. Vous avez bonne mine!

— Êtes-vous au courant des dernières nouvelles? demanda Mrs. Inglis. Le professeur Lee vient d'annoncer qu'il prenait sa retraite.

Pendant quelques instants, Duncan ne saisit pas toute l'importance de cette phrase, puis il comprit et son ennui s'évanouit.

— Est-ce officiel?

— Tout à fait. Dans trois mois, la Fondation aura un nouveau chef. En tant qu'épouse du doyen de la Faculté, il serait indiscret de ma part de prophétiser qui sera ce nouveau chef.

Il comprit instantanément ce qu'elle voulait dire. Sa partialité à l'égard d'Overton était notoire. Depuis qu'il avait épousé sa nièce, il était devenu ouvertement son protégé. Elle sourit avec triomphe en voyant l'expression assombrie de Duncan.

— Je pensais que cette nouvelle vous ferait plaisir.

Elle suivit le colonel, qui s'éloignait. A travers la pièce, Duncan vit Anna qui l'observait. Était-ce donc là la raison pour laquelle elle l'avait mystérieusement mis en garde cet après-midi? Il fallut qu'il en sût davantage, immédiatement. Il se joignit au groupe entourant Overton.

Ce dernier paraissait très excité, et qui plus est, plus qu'à demi ivre. Son visage rouge et déjà flasque témoignait des excès des deux dernières années.

— Alors, Stirling, entendu l'édition spéciale des toutes dernières nouvelles?

— Oui.

— Ça va être merveilleux pour quelqu'un, soupira Heddle.

— Il va y avoir de la bagarre pour y arriver, dit un autre.

— Normalement, la concurrence sera limitée,

déclara Overton avec autorité. Tout d'abord, le poste doit revenir à un homme jeune.

— Quelqu'un de votre âge, par exemple, suggéra Anna par-dessus l'épaule de Duncan.

Il y eut des rires. Overton avala son whisky avec arrogance.

— Pourquoi pas? J'ai autant droit à ce poste que n'importe qui. La Commission veut quelqu'un de dynamique. Il n'est que juste qu'un docteur de la Fondation ait la préférence. Je suis ici depuis pas mal de temps et mes références sont de premier ordre.

Un court silence accueillit cette déclaration. Puis Anna remarqua d'un ton étrange :

— A la façon dont vous l'exposez, il semble en effet que vous ayez pas mal de chances de votre côté.

— On ne sait jamais!

Overton semblait faire une retraite prudente. Il se tourna vers Duncan avec un sourire :

— Qu'en penses-tu, Stirling?

— Je suis ton invité ce soir. J'aime mieux ne pas me compromettre.

Overton rougit.

— Tu as peur de donner ton opinion?

Duncan ne put se retenir davantage. Il dit négligemment :

— Je ne pense pas que tu sois tout à fait l'homme qu'il faut, Overton. Le poste doit revenir à un médecin de première classe.

— Très certainement, répliqua Overton, je parie sur mes chances.

— Si c'est un pari, je le relève, répondit Duncan à son tour.

Les invités d'Overton le regardèrent, surpris. Il sentit qu'il allait s'aliéner les esprits par cette scène maladroite. Après avoir grommelé une phrase indistincte, il s'éloigna en direction du buffet.

Le petit groupe autour de Duncan s'éparpilla. Duncan se sentit profondément déprimé. Soudain, une main se posa sur sa manche. Se retournant, il vit Margaret à côté de lui.

— Je commençais à me demander quand vous alliez vous apercevoir de mon existence. (*Elle sourit.*) Venez boire quelque chose.

Il se laissa conduire au buffet déserté, où elle emplit deux coupes de champagne.

— Cher Duncan, vous aviez l'air si sombre! Pourtant, je sais que vous êtes très amusant quand vous le voulez bien.

— Je le serai sans aucun doute si je bois ce champagne. Réellement, Margaret, ça ne me vaut rien de mélanger les boissons fortes.

Mais elle ne voulut rien entendre.

— Buvons à l'avenir, et à nous!

— Je bois plutôt au passé, Margaret, l'avenir peut être désastreux.

Elle secoua la tête.

— Non, non, Duncan. Il y aura encore de bonnes choses pour nous deux!

Elle ouvrit la porte-fenêtre qui menait à un petit balcon.

— Commençons tout de suite en regardant la lune. Voyez, elle est presque pleine. Et si belle!

Il la suivit et, mal à l'aise, la vit clore la fenêtre derrière eux, les isolant ainsi sur ce petit balcon, juste au-dessus de la ville silencieuse. La lune était impressionnante, un grand disque blanc qui les narguait du haut des tourelles du château voisin et qui, comme un projecteur habilement dirigé, révélait les masses ombragées des jardins avoisinant Princess Street.

Elle soupira :

— Il ne nous est jamais arrivé d'être au clair de lune ensemble, n'est-ce pas, Duncan?

— Non, répondit-il sèchement.

— Si nous l'avions fait, les choses se seraient peut-être passées tout à fait différemment.

— Je me le demande, Margaret.

— Oh! Duncan, j'ai fait une terrible erreur!

— J'en suis navré, Margaret. (*Il se sentait gêné et évitait de la regarder.*) Peut-être les choses s'arrangeront-elles à la longue. Le mariage est parfois difficile au début, mais quand le mari et la femme apprennent à faire des concessions, ils se rapprochent souvent l'un de l'autre.

— Je vous en prie, ne me servez pas ce cliché. Je l'ai assez entendu par ma tante. Pourquoi ne pas l'avouer ouvertement? Je me suis lourdement trompée. (*Elle posa sa main sur la manche de Duncan avec un sourire lumineux et franc.*) C'est vous que j'aurais dû choisir. Voilà la vérité! Mais je ne l'ai su que lorsqu'il a été trop tard.

Elle reprit rapidement :

— Mon mari n'est pas un mauvais garçon. Il peut être charmant quand il le désire. C'est sans doute pour cela que je l'ai épousé. Mais il est si égoïste, si superficiel! Il m'ennuie à mourir avec ses hâbleries. Quand il a trop bu, il devient idiot. De plus, il ne sait pas laisser les femmes en paix. Les autres... bien sûr... J'ai découvert deux de ses aventures. Et il y a eu une histoire vraiment grave, je n'ai jamais pu savoir quoi exactement, avec une infirmière au moment de notre mariage.

Elle se tut un moment.

— J'avais besoin de quelqu'un de fort, sur qui j'aurais pu compter. (*Sa voix se brisa brusquement.*) En fait, j'ai toujours besoin de ce quelqu'un.

— N'avez-vous pas dit tout à l'heure que c'était trop tard, Margaret?

— L'est-ce vraiment, Duncan? Oh! Je ne veux pas dire tout casser et vivre au grand jour. Pour l'amour de mon père, je continuerai la comédie. Mais la vie est si courte, quel dommage de perdre du temps!

Son ancien amour revint subitement à la mémoire de Duncan. Et maintenant, il voyait Margaret telle qu'elle était : une petite fille coquette et trop gâtée. Il comprit pourquoi, autrefois, elle l'avait encouragé sans jamais penser un instant à l'épouser. Pourtant, il était dans un tel état d'exaspération que, brusquement, il la prit dans ses bras. Elle rejeta la tête en arrière et l'embrassa sur la bouche. Soudain, sans qu'il pût se l'expliquer, ce baiser le révolta. Il repoussa Margaret avec rudesse.

— Vous ne vous rendez pas compte de ce que nous faisons, Margaret!

— Mais, personne ne le saura, répliqua-t-elle rapidement.

— Margaret, je n'ai pas de temps à perdre dans ces sortes d'aventures. Les femmes n'existent plus pour moi. Il n'y a pas de place pour elles dans ma vie.

Elle sourit, piquée par sa résistance, sûre pourtant de son pouvoir sur lui.

— Il y a certainement une petite place pour moi. Oh! Duncan, je sens que toute ma vie recommence.

— Je ne pourrais pas, Margaret, parce que je vous ai aimée autrefois.

Sa voix s'éleva, incrédule :

— Voulez-vous dire que vous ne m'aimez plus?

Il resta sans mouvement, la tête baissée.

— Je suis désolé, Margaret.

L'orgueil de la jeune femme n'avait jamais été aussi atteint. Ses traits se tendirent et sa voix était rauque de dépit quand elle dit :

— Rentrons, j'ai froid.

Il prit congé immédiatement. Agacé, il se retrouva nez à nez avec Anna devant le perron.

— Puis-je vous déposer en chemin? demanda-t-elle.

— Je rentre à pied.

— Alors, moi aussi.

— Anna, pour une fois, je préférerais être seul.

— Vraiment! Vous subirez quand même ma compagnie.

Son obstination le mit en fureur, mais il n'était pas facile de la décourager. Bien qu'il marchât rapidement, elle se maintint à son niveau. Bientôt, elle ne put se retenir de remarquer ironiquement :

— Quelle belle soirée, mon cher, pour une scène de balcon au clair de lune!

Il feignit de l'ignorer.

Imperturbable, elle reprit :

— Mais, apparemment, Roméo ne s'est pas

tout à fait montré à la hauteur des circonstances. Imbécile!

Il ne répondit pas.

— J'ai toujours pensé, réfléchit-elle à haute voix, qu'un homme, dans de telles circonstances, devrait — comment dirais-je? — dîner, même au risque d'une indigestion morale momentanée... S'il a faim, bien entendu.

C'en était trop. La journée, avec ses déconvenues, la soirée, avec ses présages amers, avaient laissé à Duncan une impression de méfiance et de colère envers le monde entier.

— Pour l'amour de Dieu! Taisez-vous! enjoignit-il violemment.

— Mon cher docteur! Je ne faisais que parler métaphysique ou, si vous préférez, biologie. Je vous ai observé ces derniers mois. Cette élévation de sentiment va vous causer des ennuis. Sans compter qu'elle vous empêche de travailler. Pourquoi ne faites-vous pas une bonne virée une fois en vous saoulant à fond? Maintenant, tout spécialement, j'aimerais que vous vous conduisiez comme un être normal, et non pas comme un bloc de dynamite sur le point d'exploser.

— Que diable voulez-vous dire par " maintenant tout spécialement "?

— Tout simplement ceci : je veux que vous posiez votre candidature au poste de directeur de la Fondation.

Il rit amèrement.

— C'est déjà comme s'il appartenait au docteur Overton.

— Il lui appartiendra certainement si vous ne vous proposez pas! Écoutez, Duncan (*elle continua avec persuasion*), vous êtes jeune, un peu novice encore; mais vous êtes le seul homme dans la Fondation qui ait une valeur réelle. Le professeur Lee le sait. De plus, personne ne désire qu'Overton obtienne le poste, il ruinerait la Fondation.

— Pourquoi ne posez-vous pas votre candidature vous-même?

— Vous savez bien qu'on ne donnera jamais le poste à une femme. (*Elle élimina de sa voix tout sentiment de rancune et de dépit.*) C'est pourquoi j'ai besoin de vous.

— Que comptez-vous récolter de ceci? demanda-t-il cyniquement.

— Tout l'appui que de bonnes relations avec le Principal peuvent me donner. Une nouvelle salle d'opération, deux assistants pour mes recherches et un service de plus consacré à mes nouvelles méthodes neuromusculaires.

— Rien que ça?

Elle riposta vivement :

— Allez-vous marchander les petits honoraires dus pour les services professionnels que je vous ai rendus?

— Allez-vous toujours me les jeter à la figure, ces services?

Il se tut un moment et reprit violemment :

— Je n'ai pas la moindre chance. Mais, de toute façon, ma décision était déjà prise. Je poserai ma candidature. Je veux ce poste pour toutes les raisons du monde. Ce serait enfin la grande chance de ma vie, l'occasion de combattre Overton et ses intérêts personnels.

“ Depuis dix longues années, je ne rêve que de ça. A présent, c'est le moment.

Sa voix se fit soudain farouche et amère :

— Après tout, qu'est-ce que la vie, sinon un drôle de jeu? Le succès! Il suffit de donner un bon coup de pied à son voisin, puis de le piétiner. Très bien! Je prouverai que je connais ce jeu aussi bien que tout le monde.

— Et pourquoi pas? s'exclama-t-elle avec orgueil. Est-ce que vous voyez ce que cela signifie? Vous serez un spécialiste bien plus tôt que vous ne le pensiez.

Ils avaient atteint la maison où Duncan habitait, une étroite et haute demeure près de Princess Street. Il sortit sa clef.

— Votre foi en moi est des plus touchantes, Anna. Un mot de plus et j'éclate en sanglots. Bonsoir.

— Vous enverrez votre candidature cette semaine? Le plus tôt sera le mieux.

— Que le diable vous emporte! répondit-il

brutalement. Ne vous ai-je pas dit que j'allais me mettre là-dedans jusqu'au cou? Maintenant, partez avant que je ne claque cette porte à votre nez d'intrigante!

— Mais, Duncan...

Impulsivement, elle tendit la main, tout cynisme évanoui de son visage.

Dans l'obscurité, il ne pouvait voir la nouvelle étincelle de tendresse qui brillait dans ses yeux, l'expression adoucie de son visage. Avant qu'elle pût parler de nouveau, il pénétra dans la maison et referma doucement la porte.

CINQUIÈME PARTIE

Le vendredi suivant, Duncan sortit de l'hôpital après une journée bien remplie. Le matin même, il avait envoyé sa candidature au poste de directeur, et c'est l'esprit plein de projets qu'il remontait Princess Street vers sa demeure. Soudain, il s'arrêta. S'avançant vers lui, il avait vu une silhouette campagnarde familière.

— Hamish!

— Eh oui, docteur, c'est moi!

Ils se serrèrent fortement la main.

Hamish se sentait manifestement mal à l'aise dans ses vêtements noirs du dimanche, le visage congestionné par le haut col de celluloïd blanc. Il remarqua timidement :

— Ça fait longtemps que je ne vous ai vu, docteur. Comme j'étais à Édimbourg, j'ai pensé à vous faire une petite visite. Maintenant, vous voilà quelqu'un, vous n'aurez peut-être plus de temps pour des gens comme moi!

— Quelle sottise, Hamish! Mon vieux, je suis bien content de te revoir. Viens dans mon appartement, on boira un verre.

Bientôt Hamish était assis chez lui, sa casquette sur les genoux et un verre de whisky à la main.

— A votre santé, docteur!

— A la tienne aussi, Hamish! Quoi de neuf? Pourquoi es-tu à Edimbourg?

— Eh ben! j'avais quelques achats à faire. Des médicaments, des trucs...

Duncan s'étonna :

— Je croyais que vous achetiez les médicaments à Saint-Andrews?

— Oui, autrefois. Mais maintenant on s'adresse à une nouvelle maison, moins chère.

— Ah!

Duncan se releva soudain.

— D'ailleurs... (*le grand gaillard avait l'air embarrassé*), je ne suis pas venu seulement pour ça, j'ai vendu quelques vieux livres du docteur Murdoch.

— Non!

Duncan regarda fixement son visiteur. Puis, prenant sa pipe sur la cheminée, il se mit à la bourrer.

— J'espère que tout va bien à Strath Linton?

— Oui, oui, se hâta de répondre Hamish, on fait aller. Bien sûr, le maître n'est pas très brillant depuis quelque temps. Dame, à soixante-dix ans, ça devient dur!

— Il devrait avoir un assistant.

— Un assistant! fit écho Hamish avec une moue de mépris, il en a eu quatre en six mois!

— Comment ça?

Hamish eut un sourire timide.

— Ils faisaient tout de travers, ils ne voulaient pas se rendre à l'appel des malades la nuit, se trompaient de médicaments. Oh! ils ont rendu le maître à moitié fou et il les a flanqués dehors l'un après l'autre. (*Il s'arrêta un moment.*) On peut dire que nous n'avons eu personne de comme il faut, à part vous, docteur.

Duncan frotta violemment une allumette.

— On peut certainement trouver quelqu'un de bien. Je connais un tas de jeunes médecins très capables. Je vous en enverrai un.

Le whisky avait délié la langue de Hamish :

— Ce n'est pas la peine, docteur Stirling. La clientèle ne peut pas être soignée par un assistant à présent.

Duncan se retourna et se mit à faire les cent pas.

— Au nom du Ciel! Et pourquoi pas?

— Voyez-vous, c'est que nous avons de la concurrence. Il y a un autre docteur, amené par Overton. Il s'appelle Bailey. Il prend les ordres chez le bandit à la parole doucereuse et, en retour, il a les douze cents ouvriers de l'usine d'aluminium et de l'usine hydro-électrique. Ils sont forcés de s'adresser à lui, que cela leur plaise ou non. C'est l'homme de la compagnie! Vous savez bien que le vieux docteur ne se faisait jamais payer. C'étaient les cartes des assurances qui lui rapportaient un peu d'argent. Et maintenant, il ne lui reste guère qu'une demi-douzaine de cartes! Croyez-moi, c'est la croix et la bannière pour faire marcher la maison.

Bouleversé, Duncan imagina facilement la situation.

— Oh! On s'en sortira, ajouta Hamish, saisi d'un nouvel optimisme. En tout cas, je suis bien content de vous avoir vu, docteur. Mlle Jeanne m'a chargé de vous dire que vous seriez toujours le bienvenu si jamais vous venez dans notre coin.

En entendant le nom de Jeanne, Duncan se raidit. Il la vit luttant contre l'adversité, travaillant dur avec son courage tranquille et joyeux. Il comprit qu'il n'avait jamais cessé de l'aimer, et même il se rappela autre chose encore.

— J'imagine qu'elle voit beaucoup le jeune Aigle.

— Bien sûr! Alex rôde toujours autour de la maison. Il pense tant de bien d'elle. Ces deux derniers mois, il était au Canada. Mais nous l'attendons pour la fin de l'année.

— Les choses s'arrangeront sans doute pour Murdoch à ce moment-là. Et pour Jeanne.

— Pour sûr! (*Hamish sourit d'un air entendu.*) Alex veut l'épouser, vous savez!

Quand Hamish fut parti, Duncan resta à regarder les modestes cadeaux que les Mc Kelvie lui avaient envoyés. Il revoyait nettement la pauvre demeure du forestier dans la neige et la nuit, et la femme mourante, la femme qu'il avait guérie.

Cette nuit-là était réelle, merveilleuse. Il se laissa aller à ses réflexions : " Mon Dieu! Ai-je vraiment fait quelque chose d'utile depuis cette période? "

Mais qu'importait à présent ce drame des neiges? En quoi les mésaventures d'un médiocre et vieux médecin de campagne le concernaient-elles? Il y avait longtemps qu'il avait rejeté de sa vie toute émotion. Son avenir et sa carrière en dépendaient. D'ailleurs, le riche mariage sur le point de se produire aplanirait bien vite tous les soucis des Murdoch.

Trois jours après la visite de Hamish, Duncan vit le docteur Overton pour la première fois depuis la soirée où il avait été invité.

Vers midi et demi, ce jour-là, il pénétra dans le bureau d'Overton, une poignée de rapports à la main.

— Voici les rapports sur trois des malades que tu as soignés, Overton.

Levant les yeux au-dessus de son bureau, Overton hésita un moment, puis se décida à arborer une expression d'indifférence.

— Merci! C'est très aimable à toi de me les

apporter. A propos, Stirling, j'ai entendu une vague rumeur selon laquelle tu poserais ta candidature au poste de directeur. Est-ce vrai?

— Tout à fait vrai, répondit Duncan poliment.

— Il est bien dommage que toi et moi soyons de nouveau en rivalité ouverte. (*Il haussa plaisamment les épaules.*) Enfin, il faut bien que l'un de nous soit subordonné à l'autre.

— Tes scrupules me touchent beaucoup.

— Mais voyons, Stirling, j'ai beaucoup pensé à toi, dernièrement. Je me demande pourquoi tu ne te contentes pas d'un poste où tu réussis si brillamment?

— Tu veux dire au lieu de tout bouleverser?

— Parfaitement. Il me semble que les perspectives d'avenir, sur ton terrain particulier spécialement, sont extrêmement satisfaisantes. Tu devrais réfléchir un peu à tout cela. Ensuite, si tu te décidais à poursuivre ton travail dans ton service et à ne pas intervenir...

— ...Tu me donnerais les clefs du Royaume des Cieux quand tu serais nommé Principal! acheva Duncan avec dérision.

Overton rougit.

— J'essaie seulement de t'épargner une humiliation.

— Je tâcherai de la supporter.

— Tu supporteras cent mille fois plus!

(*Brusquement, Overton étouffait de rage.*) Quand je serai le chef, je veillerai à ce que tu sois traité comme tu le mérites! On verra si tu pourras encore rire quand tu recevras des ordres de moi!

— Je n'en ai jamais reçu de toi et cela n'arrivera jamais.

— Nous verrons bien! (*Overton criait à présent, sa prudence évanouie.*) Et voilà toujours le premier! N'essaie pas de faire la cour à Margaret. Elle est ma femme, et non la tienne!

— Que veux-tu dire exactement?

— Ce que je dis, simplement. Cela fait des mois que tu tournes autour d'elle.

— Tu vas retirer ce que tu as dit, ne serait-ce que pour l'amour de ta femme, Overton!

— Que je sois pendu si je le fais! (*Overton éclata.*) Tout le monde connaît ta réputation. A Saint-Andrews, on ne parlait que de toi et d'Anna. Crois-tu que je sois assez fou pour permettre qu'il arrive la même chose avec ma femme?

Duncan fit un pas vers Overton :

— Reconnais tout de suite que tu mens, Overton, ou je te casse les os!

— Je ne mens pas. C'est Margaret elle-même qui me l'a raconté.

A ce moment, Margaret pénétra dans la pièce. Elle se tint un moment immobile, calme et élégante. Parfaitement consciente de la scène qu'elle venait d'interrompre, elle feignit d'ignorer Duncan et sourit affectueusement à son mari.

— Tu viens déjeuner, chéri?

Overton sortit un mouchoir de sa poche et s'épongea le front.

— Oui, Margaret, je viens. Si ton soupirant n'y voit pas d'inconvénient!

Margaret, alors, daigna s'apercevoir de la présence de Duncan et lui fit un signe de tête distant. Puis elle remarqua :

— Vraiment, cher Don Juan, vous devriez prêter plus d'attention à votre vestiaire.

— Vraiment?

— Mais oui! (*Elle se mit à rire.*) L'autre soir, à la maison, je n'ai pu m'empêcher de remarquer l'allure... comment dirais-je... rustique de vos vêtements.

— Peut-être ferais-je mieux de ne plus les y exposer?

— Mon Dieu! Je ne pense pas que nous nous voyions beaucoup cet hiver. J'ai en tête un tas de réceptions destinées à favoriser la candidature d'Euen et, étant donné les circonstances, je ne crois pas qu'il vous tente d'y assister.

— Vous avez raison.

Elle ajusta son amusant petit chapeau.

— J'ai été si prise depuis que ce fameux poste s'est trouvé libre! Tout le monde pense qu'Euen sera nommé. Il est si aimé! Moi aussi, j'en suis certaine, et je ferai tout mon possible pour l'aider.

Posant légèrement son bras sur la manche d'Overton, elle l'entraîna au-dehors avant que Duncan ait pu placer un mot. Il était clair qu'elle avait raconté à sa façon la scène du balcon à son mari et qu'elle saurait faire ce qu'il faudrait pour discréditer Duncan auprès de la Commission et du professeur Lee.

En sortant du bureau, Duncan tomba sur un homme coiffé d'un chapeau melon et vêtu d'un imperméable dans lequel il reconnut Joe l'Honnête, lui-même.

— Bonjour, bonjour! s'exclama joyeusement l'entrepreneur. (*Il s'était hâté et soufflait un peu.*) Vous êtes l'homme même que je cherchais. J'emmène mon fils et sa femme déjeuner. Voulez-vous venir aussi?

— Pas aujourd'hui, merci.

— Dommage, je le regrette. Puis-je vous parler un instant? Je ne vous retiendrai qu'une minute. Écoutez-moi, docteur. Nous n'avons pas souvent été d'accord, mais j'ai toujours été votre ami. Vous vous souvenez de cette conversation que nous avons eue au barrage? C'est à ce propos que je suis là. Il y a déjà des mois que je voulais venir, mais j'ai été si occupé que je n'ai pas eu une minute de libre. Aujourd'hui, je suis venu, personnellement, vous offrir le poste... (*il fit une pause significative*) de médecin et de chirurgien de la Compagnie Électrique des Régions de l'Est.

— J'ai cru comprendre pourtant que vous aviez un médecin.

— Bailey! Bien sûr! Mais il n'a pas votre classe. La Compagnie est bien en marche, je veux donc un médecin de grande classe, et je suis prêt à le payer ce qu'il faudra. Mille livres par an, avec l'assurance, et un bon petit paquet d'actions de la Compagnie par-dessus le marché.

Cette démarche était si ostentatoire qu'elle en était insultante. Joe l'Honnête craignait donc, lui aussi, que Duncan ne gêne la carrière de son fils. Furieux, Duncan se détourna brusquement, laissant là Joe l'Honnête, abasourdi et muet; il se dirigea vers son service.

A la fin de novembre, l'opinion publique avait distingué trois hommes comme susceptibles d'obtenir le succès. C'étaient, par ordre de préférence : le docteur Overton, Chivers, un professeur d'anglais à l'Université de Durham, et Duncan.

Les discussions enflammées qui s'engageaient entre la Fondation et la confrérie médicale alertèrent la presse locale et l'élection prochaine ne tarda pas à envahir les journaux. Des photographies d'Overton et de sa femme commencèrent à paraître, suivies de légendes flatteuses telles que : “ Le futur principal de la Fondation

Wallace " ou " Le docteur et Mme Overton, à qui la Fondation rendra bientôt hommage ". L'argent de Joe l'Honnête faisait du bon travail.

Bientôt, la campagne électorale prit une tournure plus agressive. Dans une feuille à potins très diffusée, la *Tribune du Soir*, parut un article intitulé : " Docteur Lothaire ". Rédigé en insinuations assez habiles pour éviter le procès en diffamation, il reprenait les ragots qui avaient si souvent rapproché le nom de Duncan de celui d'Anna à Saint-Andrews.

Duncan étouffa de fureur, mais se força à ignorer l'article. Cependant, quand les insinuations se répétèrent, la semaine suivante, dans l'*Argus du Lundi*, sous une forme plus scandaleuse encore, il apporta le journal à Anna.

— Il me faut agir, écoutez cela! (*Il marcha de long en large en lisant l'article à haute voix.*) Je vais tout casser dans le bureau du rédacteur en chef. Je vais donner à Overton une raclée dont il se souviendra toute sa vie!

— Mon cher Duncan, vous souvenez-vous d'un charmant paquet de lettres? Si vous l'avez oublié, voilà qui vous rafraîchira la mémoire.

Elle déverrouilla son bureau et lui tendit le paquet de lettres liées d'une faveur bleue. C'étaient celles de l'infirmière Dawson.

— Non, Anna, nous ne pouvons les employer. C'est mesquin. J'ai déjà refusé autrefois.

— Alors, vous aviez raison! Maintenant, allez-vous les laisser vous traîner dans la boue devant toute la ville sans riposter? C'est le Ciel qui nous les a données. Nous allons donc attendre notre heure. Laissons-les empoisonner la Commission avec cette boue et, au dernier moment, nous leur jetterons cette bombe en pleine figure!

— Mon Dieu! Quelle horreur!

— Je ferai intervenir l'infirmière Dawson s'il le faut. Je suis restée en relations avec elle. Elle travaille à l'hôpital de Glasgow à présent. Ses sentiments à l'égard du docteur Overton ne sont guère tendres.

— Vous avez raison, Anna! Je vous ai dit que je m'engageais à fond, je saurai jeter la boue aussi bien qu'eux.

De ce jour, il attaqua sur tous les fronts pour assurer ses chances. Il intensifia le travail dans ses services, se mettant à l'œuvre de bonne heure et ne quittant son laboratoire que tard dans la soirée et, en décembre, il publia avec un succès marquant sa seconde monographie sur " La Régénération du neuron " dans *le Journal de la Médecine*.

Il refusa alors de se reposer sur ses lauriers. Bien qu'il détestât la sécheresse de la partie technique de ces recherches, il se lança néanmoins avec fièvre dans une nouvelle voie : " La Pathologie de la Coordination musculaire ". Puis il fit publier le précis de ses recherches dans *les Annales de la Science*, et s'absorba complètement en elles.

Par un pluvieux après-midi de décembre, alors que l'obscurité avait déjà envahi la ville, Duncan leva la tête au-dessus de son microscope et vit le professeur Lee qui l'observait.

— Excusez-moi, professeur, je ne vous avais pas entendu.

— Ne vous excusez pas. Je suis venu seulement pour vous inviter à dîner.

— A dîner! répéta Duncan, surpris.

— Oui, ce soir, chez moi, à huit heures précises. (*Les yeux perçants du vieil homme pétillèrent.*) J'ai cru comprendre que vous ne vous étiez pas rendu à de nombreuses réceptions ces derniers temps. Du moins, je ne vous ai pas vu chez les Overton!

— En effet, professeur.

Duncan baissa les yeux.

— C'est bien étrange pour un bourreau des cœurs, Stirling! (*Lee s'esclaffa.*) On vous a fait une réputation flatteuse dans les journaux, dites donc!

Duncan rougit fortement.

— Eh bien! (*le professeur se frotta doucement les mains*) ce soir, chez moi, il n'y aura pas de femmes, des hommes seulement. Je veux vous présenter aux membres du Comité de la Fondation. Le docteur Inglis, que vous connaissez déjà, le juge Lenzie, le professeur Brandt, le docteur Gibbson et moi, évidemment.

Il était impossible de ne pas comprendre la signification de cette invitation, surtout de la façon amicale dont elle avait été formulée.

— C'est extrêmement aimable à vous, professeur! Bien entendu, je suis charmé. Je serai là à l'heure.

— Parfait! (*Le vieil homme hocha la tête.*) Je vous préviens cependant que vous aurez à faire face à une ardente curiosité et que vous devrez répondre de certaines rumeurs qui ont couru récemment sur votre compte. Tâchez de préparer des fables plausibles!

— Je préfère dire la vérité, professeur.

Lee se mit à rire.

— A propos, j'ai lu votre seconde monographie hier soir. Elle aurait pu être pire.

Quand il fut parti, Duncan resta à sa table, le cœur empli de jubilation. C'est à peine s'il entendit la porte s'ouvrir quand Anna, revêtue de son imperméable, pénétra dans la pièce.

— Avez-vous oublié que nous allions à l'Opéra ce soir?

— Il faudra que vous y alliez seule, Anna, dit-il calmement. Je suis occupé.

Fronçant à demi les sourcils, elle se jucha sur un coin de table.

— Duncan, commença-t-elle avec une solennité particulière (*et, dans ses yeux, il y avait cette même petite lueur qui apparaissait depuis quelque temps quand elle s'adressait à lui*), je connais votre farouche ténacité, votre obstination écossaise. Mais, mon ami, quand je vous ai conseillé de poser votre candidature, je n'avais pas l'intention de vous voir vous tuer au labeur. Mort, vous ne serez plus d'aucune utilité.

— Ne vous inquiétez pas, je suis tout ce qu'il y a de plus vivant!

— Vos joues sont devenues creuses et, oui, vos tempes grisonnent. Vous ne prenez pas assez d'exercice. Même si vous ne venez pas à l'Opéra, vous devriez pratiquer un sport : le golf, le tennis, que sais-je?

Sa voix s'éteignit, différente, étrangement maternelle. Il la regarda, surpris. Que lui arrivait-il donc?

— Du golf, du tennis? Grand Dieu! Non, Anna, j'ai en tête des choses plus importantes. (*Il lui jeta un coup d'œil de côté.*) Aller dîner chez le professeur Lee, par exemple!

— Comment?

Elle se redressa.

— Il n'y a pas cinq minutes, le professeur se trouvait là où vous êtes en ce moment. (*Il fit une pause.*) Il a été très cordial. Il a d'abord fait quelques plaisanteries sur la campagne de publicité de nos amis, puis il m'a invité à dîner avec les membres du Comité.

Il n'avait jamais vu Anna aussi bouleversée. Sa voix tremblait :

— Mais ne voyez-vous pas ce que cela signifie? (*Son émotion la rendait presque incohérente.*) C'est clair comme de l'eau de roche! Lee désire que vous lui succédiez. J'ai toujours su qu'il vous appréciait beaucoup. Si vous jetez habilement vos cartes (*sa voix s'élevait progressivement*), ils vont certainement essayer de vous faire parler. Aiguisez leur curiosité au maximum. Quand vous en serez aux liqueurs, jouez la grande scène de l'hésitation, puis sortez les lettres de Dawson.

Il hocha tristement la tête.

— C'est le moment rêvé.

Elle exulta :

— *Grüss Gott!* Si je pouvais seulement voir leurs visages à ce moment-là! Une vraie bombe! C'est comme si vous étiez déjà nommé!

— Oh! gardez votre calme, Anna! riposta-t-il vivement. Je n'en suis pas encore là.

Mais il ne put la faire taire. Elle continua de bavarder avec excitation, marchant de long en large dans le laboratoire.

Enfin, il put se débarrasser d'elle et retourner à son travail.

Quand Duncan regagna son domicile, il avait encore une demi-heure avant de s'habiller et ressortir dans la pluie incessante. Il s'affala dans un fauteuil et se servit un peu d'alcool pour se détendre. Il saisit le journal du soir et en tourna les pages avec indifférence. Soudain, un paragraphe, aux dernières nouvelles, s'imposa à ses yeux :

« Désastre à Strath Linton. Cet après-midi, les eaux grossies par les récentes pluies ont provoqué un déplorable accident au nouveau barrage créé par la Compagnie Électrique des Régions de l'Est. La pression du fleuve a causé cinq morts et sept blessés. Au cours des travaux de dégagement, qui se sont poursuivis pendant des heures, le docteur Murdoch, venu assister le docteur Bailey, médecin de la Compagnie, a été frappé par un bloc de maçonnerie qui s'est effondré sur lui. On pense que ses blessures sont graves. »

Duncan bondit. Il avait oublié le dîner chez Lee. Sa mémoire s'était vidée de tout ce qui n'était pas l'accident de Murdoch. Il jeta un coup d'œil à la pendule. Sa voiture était dans un garage voisin; en allant vite, il pourrait être à Linton vers neuf heures.

Le rideau de pluie s'était épaissi. Sur la route, la voiture faisait jaillir de chaque côté deux hautes trajectoires d'eau. Tout autour de lui, dans la campagne, il vit, à la lueur déformée de ses phares, les ravages causés par les pluies. Partout des champs inondés, des fossés débordants, des rivières gonflées et grondantes.

La vitesse allégea un peu sa tension d'esprit. Il approchait de son but. Soudain, ses phares accrochèrent dans l'obscurité bruissante une barrière jaune sur la route et un homme agitant les bras avec frénésie. Il ne freina à temps que par un pur miracle.

Le garde s'approcha de la voiture. Il portait un ciré dégouttant d'eau.

— Vous n'êtes pas fou de conduire comme ça par une nuit pareille? Rebroussez chemin. On ne peut pas aller plus loin!

— Pourquoi? cria Duncan dans la direction de la torche du garde.

— La route de Strath Linton est inondée. Le barrage peut sauter d'un moment à l'autre.

Duncan ne protesta pas, mais, silencieusement, il mit la voiture en marche. Bientôt, elle fit un bond en avant et fonça dans les planches de la barrière, qui s'effondrèrent rapidement. La route, bien qu'en grande partie inondée, n'était pas impraticable. Pris d'une impulsion soudaine, Duncan mit en marche la radio. Immédiatement, il entendit les nouvelles qu'il cherchait.

« La menace qui pèse sur Strath Linton,

disait la voix indifférente du speaker, est plus sérieuse qu'on ne l'avait pensé tout d'abord. Rien ne permet d'espérer la cessation de la pluie, et la fissure dans le barrage de Loch Linton semble s'élargir. Des équipes de secours sont déjà sur place. Bien que la situation soit bien en main, d'après un communiqué délivré par M. Overton et les autres personnalités de la Compagnie, tout trafic a été interrompu dans la région avoisinante et, par mesure de précaution, les habitants de la vallée ont été priés de quitter momentanément leurs demeures. »

La voix se fit plus grave :

« Le nombre des morts à déplorer atteint maintenant quinze. Le docteur Murdoch, de Strath Linton, qui a été blessé par un bloc de maçonnerie en se portant au secours d'un blessé, semble avoir été atteint plus gravement qu'il n'avait été annoncé. On craint pour sa vie. »

Duncan appuya à fond sur l'accélérateur. La voiture bondit. Dix kilomètres plus loin, il tomba dans un paysage familier. Tout le long de la route, il remarqua des charrettes et des voitures chargées de meubles et de valises. Cinq kilomètres plus loin, il entra dans Linton. Il arrêta la voiture en face de la maison du docteur et se précipita dans la rue. La pluie le frappa comme un mur. La rue était déserte.

Ce fut Retta, enveloppée d'un manteau, le chapeau sur la tête, qui lui ouvrit la porte.

— Retta, où est le docteur?

Elle leva sur lui un visage bouleversé, taché par les larmes.

— Ils l'ont gardé à l'usine, docteur Stirling.

— Et Mlle Jeanne?

— Elle est là-haut aussi. (*La bonne éclata en sanglots.*) Tout le monde est parti et je vais partir aussi.

Elle se précipita dans la rue.

Dehors, dans la nuit de cauchemar, Duncan ne vit âme qui vive jusqu'à ce qu'une silhouette solitaire apparût au tournant. Duncan cria de soulagement quand il reconnut le rôdeur :

— Mc Kelvie!

— Docteur Stirling!

— Nom de nom! Je suis rudement content de vous voir, mon vieux! (*Duncan attrapa son bras.*) Il faut que je monte à l'usine.

— Ce n'est pas possible, répondit Mc Kelvie avec décision, la route n'est plus praticable.

— Mais il le faut. Vous ne comprenez pas, voyons! Murdoch est là-bas. Il faut que j'arrive jusqu'à lui. Il le faut!

Mc Kelvie hocha son long visage dégoulinant d'eau.

— Bon, dit-il. Vous ne pourrez jamais y

arriver par la route. Mais peut-être bien, peut-être, qu'il y aura une chance si je vous emmène par l'intérieur.

Ils montèrent en hâte dans la voiture et Duncan démarra. Mc Kelvie lui indiqua une route inconnue, tortueuse et rocailleuse, qui serpentait sur l'autre versant de la colline. Quand ils furent à peu près à moitié chemin, la voiture ne put avancer davantage. Sans un mot, Mc Kelvie sauta à terre et précéda Duncan sur l'étroit chemin.

Ils luttèrent contre les pommes de pin détrempées et les crevasses emplies d'eau. Ils tombèrent dans des trous pleins d'eau et de boue. Ils s'agrippèrent aux rochers glissants pour poursuivre leur ascension. Les mains de Duncan étaient à vif quand ils atteignirent enfin, hors d'haleine, le sommet. Cherchant dans l'obscurité, Duncan, au bout d'un moment, aperçut le lac. Ils en avaient atteint les bords en contournant la région dangereuse.

— Le bateau doit se trouver tout près, cria Mc Kelvie, les mains en haut-parleur autour de sa bouche pour dominer le grondement des vagues. Cent mètres plus loin, ils découvrirent, en effet, la petite barque de pêche, ballottée sur les flots. Mc Kelvie détacha l'amarre et les deux hommes s'emparèrent chacun d'une rame.

Duncan attaqua farouchement l'eau. Son

combat contre les vagues violentes, qui lui envoyaient des paquets d'eau à la figure, le soulageait de la tension de son inquiétude. Tout autour d'eux, une brume grise les isolait.

Ils ramaient depuis longtemps déjà quand Mc Kelvie se pencha anxieusement sur sa rame.

— Vous entendez? demanda-t-il.

Par-dessus le bruit des vagues, Duncan entendit le grondement assourdi d'un torrent.

— C'est le barrage, annonça Mc Kelvie avec gravité. Que Dieu nous protège si nous sommes pris dans ses eaux!

Tournant l'avant du bateau contre le vent, ils se remirent à forcer sur les rames. Le grondement se faisait de plus en plus net à leurs oreilles. Mais, soudain, au moment où ils avaient atteint la limite de leurs forces, la barque échoua sur le rivage, dissimulé par l'obscurité. Mc Kelvie sauta du bateau et, tendant ses puissantes épaules, le hala sur la côte.

Au loin, sur la péninsule bordant la petite baie, ils aperçurent des lumières. Mc Kelvie à son côté, Duncan se hâta vers elles. Sur le plateau, à côté de l'usine et mis en relief par la terne lumière rouge d'une rangée de lampes à pétrole, Duncan embrassa du regard un spectacle hallucinant.

Comme toile de fond, l'architecture nue des bâtiments de l'usine d'aluminium. Devant, une foule d'ouvriers et de gens du village, silhouettes immobiles et silencieuses. Et là, à quelques mètres, le barrage, arc de béton aux arches élégantes.

A travers les écluses ouvertes, un torrent d'eau bouillonnait et fumait dans l'obscurité de la vallée. Du faîte, une cascade de deux cents mètres se précipitait en bas en jaillissements puissants.

Mais il y avait surtout cette fissure sinistre dans le gris du barrage, cette large brèche de laquelle l'eau fusait avec une force démoniaque, arrachant au passage des débris de ciment de plus en plus nombreux.

Duncan courait, pressé par l'anxiété, pour atteindre Murdoch, quand soudain une émotion commune agita les groupes d'ouvriers. Duncan se retourna juste à temps pour voir la catastrophe finale.

Sous ses yeux horrifiés, la fente dans le béton s'élargit lentement, comme écartée par les mains invisibles de quelque géant. Des blocs de ciment furent projetés dans l'air comme d'énormes projectiles catapultés par des canons prodigieux. Le barrage oscilla d'abord doucement, puis il s'affaissa. Comme une machinerie de carton-pâte, la structure entière chancela légèrement, se pencha d'un côté et s'effondra enfin dans le cratère apaisé du lac libéré.

— Dieu du ciel! souffla Mc Kelvie, on dirait la fin du monde!

Un moment, Duncan resta stupéfait, puis, écartant violemment la foule autour de lui, il s'élança vers l'usine.

Derrière les rideaux des bureaux de la section administrative, il vit bouger des silhouettes et des lumières. La main sur la poignée de la porte, il frissonna, puis il pensa à l'attitude qu'aurait prise Murdoch et, redressant la tête, il poussa la porte.

Dans le premier bureau, toutes les huiles de la Compagnie étaient réunies : Scott, le R. P. Simpson, Leggat l'avocat, tous les anciens ennemis du Conseil municipal de Levenford et, derrière une table, Joe l'Honnête. Quand Duncan entra, il leva la tête stupidement. Un éclair passa entre les deux hommes. Il fut suffisant à Duncan pour lire la honte et la défaite dans les yeux vaincus. Pour lire aussi l'abjecte terreur du joueur qui a engagé des vies humaines et perdu la partie.

Duncan avança dans la deuxième pièce. Le vieux docteur de Strath Linton était là.

Murdoch gisait, recouvert d'une rugueuse couverture brune, sur un matelas au centre de la pièce. Au chevet de ce lit improvisé, Duncan vit Jeanne, pâle, les traits tirés, sans larmes. De l'autre côté, un homme assez jeune en veston sombre. Duncan supposa que c'était Bailey, le médecin de la Compagnie.

Duncan s'avança sur la pointe des pieds. Le visage du vieux docteur, si coloré d'habitude, avait la lividité de la craie. L'immobilité de son inconscience était impressionnante. Calé sous son cou, on avait glissé un petit sac de sable. Quand Duncan comprit que c'était du sable, il se tourna vers le Docteur Bailey. A voix basse, il lui dit :

— Je suis le docteur Stirling, d'Edimbourg. Est-ce... est-ce la colonne vertébrale?

Bailey, le visage soucieux, esquissa un geste d'assentiment résigné.

— Les pierres qui sont tombées sur son dos ont brisé les vertèbres cervicales. Sa hanche est démise également. Il a aussi plusieurs côtes fracturées. On dirait que chaque os a subi un choc. Je crois qu'il se produit également une hémorragie interne.

— Qu'avez-vous fait?

— Tout ce que j'ai pu. (*Il semblait légèrement sur la défensive.*) Je lui ai mis des bouillottes chaudes et l'ai gardé au calme. Il est intransportable, car la moelle épinière s'échapperait.

Il balbutia :

— Que peut-on faire d'autre? Il est presque mort.

Duncan reçut un choc en voyant s'ouvrir les yeux de Murdoch. Un éclair de malice les éclaira et il chuchota avec effort :

— Inutile de faire supporter votre sacré mauvais caractère au docteur Bailey. Il a raison. Je suis pour ainsi dire mort!

— Ne parlez pas ainsi.

— Un mourant a le droit de parler comme il l'entend.

Un sanglot déchira la poitrine de Jeanne. Elle détourna la tête.

— Tss, tss, ma fille. Je ne t'avais pas vue. Ce doit être l'obscurité de cette pièce. Donne-moi la main, mon petit, et ne pleure pas.

Duncan se pencha en avant :

— Pour l'amour du Ciel! Vous ne pouvez vous laisser aller comme cela! Jeanne, lâchez la main de votre père, lâchez-la, vous dis-je, et laissez-nous seuls avec lui.

La jeune fille se leva et quitta la pièce en chancelant.

Duncan se mit immédiatement à genoux à la place qu'elle venait de quitter. Sa voix était rauque :

— Murdoch! Qu'est-ce qui vous arrive? Voilà que vous vous conduisez en femmelette en vieillissant? M'entendez-vous?

— Laissez-moi, mon garçon, murmura faiblement Murdoch.

— Je ne vous laisserai jamais! Pour l'amour de Dieu, essayez de vous redresser.

Rapidement, il parcourut de ses doigts experts la colonne vertébrale du vieil homme. Le diagnostic de Bailey était exact. Hélas!

Il examina une seconde fois les vertèbres brisées à la base du cerveau et, en un éclair, estima les maigres chances de vie qui subsistaient encore. Même sans les observations du docteur Bailey, il connaissait le danger qu'il y aurait à changer Murdoch de position. Un seul mouvement maladroit suffirait pour que la moelle épinière s'échappât des vertèbres, et ce serait la fin instantanément.

Il fallait agir tout de suite, ici, dans ce bureau de bois, sans l'aide d'infirmières compétentes et sans les ressources d'une salle d'opération moderne. Pour une fois, il ne fallait pas compter sur la puissance de la technique, seule restait la puissance de l'homme.

Duncan se redressa. Sa décision était prise. Ses aspirations anciennes lui revinrent à la mémoire. Il retrouva sa confiance en lui, en son don de guérisseur. Il se vit, penché sur le vieux docteur, remettant délicatement les segments brisés en place, soulageant la torture des nerfs déplacés, redressant les os et éloigant leur pression meurtrière des centres vitaux de la moelle. Rapidement, il se tourna vers Bailey :

— Vous avez un anesthésique ici? Administrez-le, je vous prie.

Il se baissa :

— Je vais risquer le tout pour le tout, Murdoch.

Il se tut un instant et ajouta avec une sincérité brutale :

— M'aiderez-vous dans la lutte ou m'abandonnerez-vous ?

Un semblant de sourire passa sur le vieux visage et Duncan entendit un chuchotement :

— J'ai toujours dit que vous aviez la manie de tuer les gens. Vous vous souviendrez... quand je ne m'éveillerai pas... que j'avais raison.

CONCLUSION

CINQ semaines plus tard, un clair soleil de janvier découvrait les sommets des montagnes et faisait renaître à la vie le village de Strath Linton. Les solides maisons de pierre s'étaient accrochées au sol.

Seuls, des coulées sombres sur les murs blanchis à la chaux, quelques clôtures déracinées, des volets en voie de réparation, par-ci par-là, des cantonniers occupés à réparer la route, témoignaient de la terrible inondation.

— Il va faire beau, pensa le bedeau Dougal en taquinant sa barbe sur le seuil de son jardin. Il aspira avec plaisir une bouffée d'air pur. Au bout de la rue apparut un autre dignitaire, le facteur Murray. Les deux hommes se saluèrent sobrement et s'engagèrent au milieu de la chaussée.

Tout d'abord, ils ne parlèrent pas. Dans ces régions du Nord, le silence signifie souvent la bonne entente entre deux êtres, mais, ce matin-là, le bedeau rompit bientôt les habitudes.

— J'ai remarqué dans l'*Herald* de ce matin que notre ami, Joe l'Honnête, a été déclaré en faillite.

Le facteur ne put dissimuler sa satisfaction :

— Oh! Il est bel et bien fini! Que le Ciel vienne en aide à ceux qui ont aventuré de l'argent dans son affaire.

— J'ai toujours dit que ce barrage était maudit, remarqua le bedeau. Pourtant, je ne nie pas qu'un bon barrage, construit sérieusement par une compagnie honnête, serait utile à la région, à la condition qu'il ne serve pas à alimenter ces satanées usines d'aluminium. Ainsi, l'utilisation pratique et la préservation du paysage seraient liées. (*Il fit une pause significative.*) En fait, facteur, on parle d'un tel projet. Sir John Aigle et son fils, le pasteur et quelques autres se sont réunis et la Compagnie sera formée à la Saint-Martin.

— Pas possible! s'exclama le facteur. Eh bien! on a raison de dire que tout vient à point à qui sait attendre.

Sur cette sentencieuse parole, ils continuèrent leur chemin en silence. Devant la maison du docteur, les deux hommes s'arrêtèrent et regardèrent tristement les fenêtres à demi voilées.

Le facteur baissa la voix :

— Les rideaux ne sont pas encore ouverts. Pauvre Murdoch, quelle épreuve pour lui!

— Plus d'un mois qu'il est couché déjà, dit le bedeau gravement. Je n'oublierai jamais quand on l'a ramené de l'usine sans connaissance.

— On dit que, depuis des semaines, il n'a même pas ouvert un œil. Il reste couché, inconscient. Seigneur, c'est terrible de voir comme il traîne!

Bientôt, l'instituteur les rejoignit, puis Miss Bell, vêtue de sa cape rose fané. Elle allait ouvrir sa mercerie. En quelques minutes, un petit groupe silencieux s'était formé.

— Dire qu'il en a tant sauvé autrefois! C'est dur de le voir mourir comme ça.

Miss Bell hocha tristement la tête :

— Cela semble bien cruel de prolonger son agonie de cette façon.

— Eh oui! acquiesça le facteur. Ce serait plus humain de le laisser mourir tranquillement.

— Nous ne sommes pas là pour juger, facteur, murmura le bedeau. Le docteur Murdoch a été un bon ami pour tout le village de Linton, mais Dieu le rappellera à Lui à l'heure qui Lui conviendra.

Le maire hocha la tête lentement, signe qui dispersa l'assemblée. Ils se séparèrent sur un signe de tête et chacun poursuivit son chemin.

Dans la maison, une porte s'ouvrit.

Duncan sortit de la chambre du malade. Il n'était pas rasé et des cernes de fatigue entouraient ses yeux. Il avait passé la nuit au chevet de Murdoch et Jeanne venait de le relayer. Il appuya son bras contre le mur et y laissa tomber sa tête. Comme il avait été fier, à l'usine, d'avoir pu remettre les os en place et d'avoir, malgré cela, préservé l'étincelle de vie! Et quel cruel désappointement, ensuite, que ce coma continuel auquel seule la mort semblait devoir succéder.

Déjà cinq terribles, interminables semaines qu'il venait de passer à Linton, sans retourner une seule fois à Edimbourg. Son esprit restait vaguement conscient de son existence antérieure, de son travail à la Fondation, de ses obligations et de ses espérances là-bas, mais seule dominait la pensée de sauver Murdoch. Soudain, dans la maison silencieuse, la sonnerie du téléphone retentit. Duncan entendit le pas étouffé de Retta se dirigeant vers l'appareil.

— Qui, Retta? demanda-t-il. Un malade?

— Non, docteur. (*C'était encore Edimbourg.*) Il n'y a pas moyen de les arrêter. J'ai pourtant fait comme vous me l'aviez dit : j'ai dit que je ne pouvais pas vous joindre.

Il approuva de la tête :

— Très bien. S'ils rappellent, dites la même chose à nouveau.

Ce matin-là, Duncan fit sa tournée dans la vallée. Il était une heure passée quand Duncan arriva à Linton. Devant la maison des Murdoch, il remarqua une grande voiture de louage. Il esquissa un sourire ironique. Il savait ce que cette voiture signifiait avant même d'entrer dans la maison et qu'il trouverait Anna fumant une cigarette dans le petit cabinet de consultation.

— Eh bien, Anna! dit-il calmement, je croyais vous avoir dit de ne pas venir. Après tous ces télégrammes et ces appels téléphoniques, je pensais que vous aviez compris.

Elle écrasa avec violence sa cigarette dans le cendrier.

— M'en voudrez-vous de désirer avoir une conversation à cœur ouvert avec vous?

Haussant les épaules, il se dirigea vers la minuscule pharmacie, dans un coin du cabinet de consultation, et se mit en devoir de préparer les médicaments simples qu'il avait prescrits dans la matinée. Ce spectacle sembla avoir raison des quelques bribes de sang-froid qui subsistaient en Anna.

— Duncan! s'écria-t-elle, vous êtes devenu complètement fou! Sacrifier sa carrière pour vendre des vertus mythiques à des paysans!

— Peut-être, l'interrompit-il brutalement, mais j'ai un autre malade dans la chambre, là-haut.

— Je le sais. Je l'ai vu. J'ai pris la liberté de l'examiner en votre absence. Et je peux vous dire que vous perdez votre temps.

Il chancela comme si la sentence de mort le concernait lui-même.

— De toute façon, ce n'est que votre point de vue...

— Mon point de vue est scientifique, clair. L'œdème du cerveau s'est produit. Ce pauvre vieillard est bon pour le cimetière. Et toute la foi que vous lui insufflerez n'y changera rien.

— De quel droit parlez-vous ainsi?

— Du droit de la science, et aussi parce que je suis votre amie. Oh! je sais ce que vous avez fait. Après avoir redressé sa colonne vertébrale, vous l'avez nourri artificiellement, vous l'avez veillé nuit et jour. C'est édifiant. Mais sans utilité, sans aucune utilité.

La main qui tenait l'éprouvette trembla légèrement.

— Vous êtes dure, Anna!

— Dans mon métier, et dans le vôtre, il ne peut en être autrement. (*Sa voix se troubla.*) Écoutez-moi. Et essayez de voir les choses sainement, pour une fois. Lâcher la chance extraordinaire que vous aviez de dîner avec les membres de la Commission, c'était déjà mauvais pour vous. Mais votre absence du service durant ces cinq semaines, laisser vos ennemis faire des pieds et des mains en votre absence, juste avant l'élection, cela, c'est un suicide! J'ai essayé — à en être dégoûtée — d'insister sur le côté émouvant de cette histoire. Maintenant (*elle fit une pause*), les explications ne servent plus à rien. Les candidats ont été convoqués pour demain. La convocation est arrivée à votre appartement. L'élection aura lieu demain après-midi, à quinze heures.

Il reboucha une bouteille et y colla une étiquette. Lentement, il la reposa sur la planchette et se tourna vers la jeune femme :

— J'essaierai, bien entendu, d'y aller. Mais je ne peux vous le promettre, parce que, si j'y vais, on me gardera là-bas, je serai pris. Et je dois vous dire que j'ai décidé d'assister mon malade — comme Murdoch l'aurait fait lui-même — jusqu'au bout.

Elle se mordit violemment la lèvre.

— Jusqu'au bout! Mais je vous l'ai dit, il n'y a rien à faire. Comment, vous, un pathologiste expérimenté...

Il se tourna brusquement vers elle :

— Il y a certaines choses, en médecine, que l'on ne découvre pas dans une éprouvette. Et l'une d'elles est celle-ci : on ne doit jamais abandonner un malade avant qu'il soit mort.

Sa fureur tomba d'un seul coup.

— Est-ce tout ce que vous avez à me répondre, Duncan? Après toutes les années que nous avons passées ensemble?

Il la regarda sans comprendre.

— Voyons (*sa voix devint un murmure*), pourquoi nous querellons-nous toujours? Cela fait tant de mal!

— Voilà une étrange parole venant de vous!

— Peut-être suis-je une femme étrange. Vous ne savez pas à quel point, je ne le sais pas moi-même. Vous croyez que je suis dure. Dieu sait pourtant! Et ces derniers mois, je suis devenue plus faible que votre stupide Margaret elle-même.

Elle baissa les yeux, puis les releva soudain, brûlant d'une ardeur intense.

— Parfois, on rejette les choses qu'on désire le plus. Mais il arrive un moment où on ne peut plus s'en passer. Il y a longtemps que nous travaillons ensemble, Duncan. La vie nous a maltraités tous deux. Nous avons un but commun, nous sommes liés. Duncan, tout ce qui vous arrive me touche terriblement. Je vous... (*Sa voix trembla.*) J'ai beaucoup d'affection pour vous. Ne pourrions-nous pas édifier notre avenir ensemble? Oh! je sais que je m'en tire affreusement mal! Mais vous comptez tant dans ma vie, Duncan! Est-ce que je ne compte pas un peu aussi pour vous?

Il détourna la tête et dit avec difficulté :

— Votre amitié compte plus pour moi que n'importe quoi.

Elle demeura immobile pendant un long moment. Puis elle se leva. Son visage était à nouveau calme, impassible comme d'habitude.

— Eh bien, il est inutile de continuer cette conversation. Je vous promets que je n'aborderai plus jamais ce sujet. Mais vous viendrez demain, c'est décidé, n'est-ce pas?

— Peut-être n'y serai-je pas.

— Vous y serez, protesta-t-elle, vous êtes trop ambitieux, et moi aussi, pour rater la chance de votre vie. Au revoir, à demain.

Le lendemain, Duncan s'éveilla les nerfs tendus. Sa chambre était voisine de celle de Murdoch et, par habitude, il tendit l'oreille vers le mur mitoyen. Il entendit l'infirmière du village relever Jeanne de sa veille nocturne. Oppressé par un sentiment de malaise, il sauta du lit, se rasa et s'habilla rapidement pour aller voir son malade.

L'infirmière Gordon se tenait au chevet de Murdoch. Elle chuchota :

— Il n'est pas très bien ce matin, docteur. Je crois qu'il est encore plus faible que d'habitude.

Duncan appliqua ses doigts contre le poignet de Murdoch et procéda à l'examen habituel. Il reconnut le bien-fondé des paroles de l'infirmière. Il prit un bloc et prescrivit ses instructions.

Dans la cuisine, il avala quelques bouchées du petit déjeuner et se dirigea vers le garage. Bientôt, sa voiture démarrait.

En lui-même, il savait pourquoi il se précipitait dans l'action avec une telle hâte, une telle intensité. Il était mu par un désir désespéré de se fuir, de fuir Murdoch et le dilemme qui les touchait tous les deux.

Quand il revint à la maison, Jeanne l'accueillit dans le vestibule, fraîche et nette dans sa robe grise, malgré sa pâleur et les ombres tristes qui voilaient ses yeux. Sa présence lui causait chaque fois un élancement de douleur. Il savait maintenant, sans risque de se tromper, qu'il l'aimait, d'un amour vrai enfin, inébranlable et puissant. Mais il ne pouvait oublier l'attachement qu'elle portait au jeune Aigle.

— Pourquoi ne vous reposez-vous pas?

Il devait se raidir pour rencontrer son regard.

— Je ne suis pas le moins du monde fatiguée. J'ai pensé que nous pourrons déjeuner de bonne heure, aujourd'hui.

Il n'avait pas faim. Il se força cependant à avaler un morceau de poulet. Jeanne lui tendit ensuite un plat chargé de grappes de raisin.

— Goûtez-le, lui enjoignit-elle. Elles viennent des serres de Sir John Aigle.

Il secoua la tête. Plus que jamais, le nom d'Aigle éveillait en lui un sentiment de rancune.

— Ils sont excellents, reprit-elle, déçue.

— Peut-être.

Il fut saisi d'une impulsion amère et ajouta :

— Mais moi, je ne veux rien lui devoir.

— Il n'a que de bonnes intentions.

Elle hésita, puis se décida à continuer :

— Il m'a dit qu'il s'arrangerait pour trouver un autre docteur pour mon père si vous deviez partir.

Il la regarda, stupéfait qu'elle ait pu lire en lui son tourment secret.

— Vous ne pouvez évidemment rester toujours ici. (*Son sourire n'était que l'ombre de sa luminosité habituelle.*) A présent, il reste si peu de choses que vous puissiez faire.

Tout était clair maintenant pour lui. Anna lui avait parlé hier et Jeanne lui ouvrait les grilles, les grilles de la liberté.

Au moment où cette pensée traversait son esprit comme un éclair, Hamish frappa et entra, sa casquette à la main.

— J'ai descendu votre valise, docteur. Dois-je la mettre dans la voiture tout de suite?

— Laissez-la dans le vestibule un moment, Hamish.

La pensée que, dans les quelques secondes qui allaient suivre, il déterminerait toute sa vie future le fit frémir.

Il fixa son regard sur Jeanne et il se sentit pris du désir pervers de la faire souffrir.

— C'était gentil à vous de préparer le banquet d'adieu avec l'aide de la famille Aigle.

La voix de Jeanne était tremblante quand elle répondit :

— Je voulais vous permettre d'arriver à Edimbourg à trois heures.

Il ne put s'empêcher de poursuivre :

— Très prévoyant! D'autant plus que je ne me suis pas particulièrement distingué auprès de votre père.

Elle murmura :

— Je vous ai déjà dit...

Il l'interrompit brutalement :

— Que vous voulez vous débarrasser de moi, vous avez raison, je ne vous blâme pas.

Il ne comprenait pas le sentiment qui le poussait à la blesser. Jamais il ne l'avait tant aimée qu'à ce moment-là. Il poursuivit malgré lui :

— Je ne resterai pas là où ma présence n'est pas désirée. (*Il se leva de table.*) Accordez-moi encore cinq minutes et je serai parti.

Dans le vestibule, il trouva son manteau et son chapeau posés sur la valise. A travers la vitre de la porte d'entrée, il vit Hamish au volant de la voiture. Il avait largement le temps d'être à Edimbourg à deux heures et demie.

Il imagina son retour à la ville, son arrivée sensationnelle à la Fondation. Il entendit les phrases de bon accueil de ses amis, il imagina la déconvenue d'Overton. Anna avait raison, il ne pouvait laisser Overton l'emporter. Il décida alors de partir, mais quelque chose l'obligea à monter dans la chambre de Murdoch pour jeter un dernier coup d'œil sur le malade.

La chambre était sombre et obscure. Murdoch était toujours couché sur le dos, inconscient et désarmé, comme il l'avait été durant ces cinq dernières semaines de mort vivante. Si seulement Duncan avait pu chasser cette torpeur, rendre conscience à son malade, tout aurait été arrangé. Mais il n'y était pas arrivé. Il fallait qu'il parte, le mourant ne le regretterait même pas.

Pourtant, il demeurait immobile. Il ne pouvait quitter des yeux le visage enfoncé dans l'ombre. Il *devait* y avoir quelque chose à faire.

Seule la tension présente de son esprit put suggérer à Duncan l'expédient désespéré auquel il pensa subitement. Il en connaissait le danger. Mais il venait de décider de faire une ponction du cerveau. S'il ne tentait rien, la mort viendrait, certaine.

Il établit le détail de l'opération, attendant avec impatience l'arrivée de l'infirmière. Elle pénétra sans bruit dans la chambre à treize heures précises et dit calmement à Duncan :

— Mlle Jeanne m'a dit de vous rappeler qu'il était temps de partir. Sans cela, vous serez en retard.

— Oui, je crois que je serai en retard. Mademoiselle Gordon, voulez-vous faire bouillir l'alcool et stériliser mes instruments?

Elle lui jeta un coup d'œil, puis regarda à nouveau Murdoch. Elle se mit à stériliser les instruments sans un mot.

Puis ils retournèrent Murdoch avec précaution et le couchèrent sur le côté.

Duncan frotta la base du cerveau, d'abord avec de l'alcool, puis avec de l'acide picrique. La tache, d'un jaune vert, ressortait affreusement sur la lividité de la peau.

Les doigts de Duncan parcoururent lentement la région malade. Il sentit les vertèbres ressoudées fermement. Avec soin, il choisit le point vital. Sans bouger l'index, il saisit de l'autre main le trocart; c'était une espèce de seringue d'où jaillissait une aiguille, poinçon étincelant avec lequel il devait pénétrer dans les tissus vitaux de la moelle épinière. La moindre faute serait fatale, il le savait. La plus légère erreur de distance ou de direction, et ce serait la terrible fin. L'infirmière Gordon le savait également.

Pinçant la peau du malade entre le pouce et l'index, Duncan plongea le trocart d'un geste sec dans la chair molle. Durant une longue mortelle minute, il fouilla la chair, dirigeant le pointe invisible un peu plus en avant, un peu plus en arrière, cherchant désespérément le point d'insertion. Mais partout il sentait de la résistance sous son aiguille. Ne trouverait-il donc jamais?

Avec désespoir, il ferma les yeux pour accroître la sensibilité de son toucher. Encore, et encore il chercha. Soudain, il ne put retenir un cri de soulagement. Cette fois, il n'y avait plus d'obstruction, l'aiguille glissa rapidement. Il avait trouvé l'orifice. Doucement, il guida la pointe dans le canal.

Avec une précaution infinie, il enfonçait l'aiguille de plus en plus. Son visage était comme recouvert d'un masque. Ce n'était pas là œuvre de chirurgien. C'était plus que l'application de la technique apprise dans les livres d'études, c'était le don donné par Dieu qu'il employait. Soudain, il sentit que le trocart perçait la membrane thécale. Il avait atteint son but.

Il attendit alors la crise qui prouverait qu'il avait bien fait : Murdoch allait vivre ou mourir. D'un mouvement rapide, il pressa la seringue.

Instantanément, un jaillissement de liquide cérébro-spinal fut aspiré dans la seringue à travers l'aiguille.

Bien qu'il vît le bien-fondé de sa tentative, Duncan n'osait encore se réjouir. Le liquide arrivait plus violemment : de toute évidence, la pression à l'intérieur des chairs était intense.

Et soudain, Duncan entendit s'exhaler de la poitrine de Murdoch un soupir imperceptible, la première manifestation de vie depuis cinq semaines de coma.

L'infirmière en laissa presque tomber le récipient qu'elle tenait à la main.

— Docteur Stirling, balbutia-t-elle, avez-vous entendu?

Duncan ne répondit pas. Ses lèvres étaient desséchées par l'angoisse. Il regarda l'aiguille fixement. Quelques gouttes de liquide apparurent encore, puis encore quelques gouttes plus lentement, puis plus rien.

Rapidement, il ressortit l'aiguille, colla un petit bout de sparadrap sur la piqûre et recoucha Murdoch sur le dos. Il attendit que l'infirmière glissât deux oreillers sous la tête du malade, puis tendit sous son nez un flacon de sels d'ammoniaque. Le stimulant n'eut aucun effet.

Duncan essaya de ne pas se laisser submerger par le désespoir. Se penchant, il pressa fermement avec ses pouces le front de Murdoch, au-dessus des nerfs orbitaux; il avait souvent employé ce moyen pour faire revenir à eux des malades encore sous l'influence de l'anesthésique. Pendant une minute, il ne se produisit rien. Puis, sous la pression accentuée de ses doigts, le miracle eut lieu : Murdoch ouvrit lentement les yeux.

C'était comme une résurrection. Portant une main à sa bouche, l'infirmière Gordon étouffa un cri. Le vieil homme l'entendit cependant.

— Qu'y a-t-il? chuchota-t-il faiblement.

Duncan se pencha sur lui, le cœur exalté.

— Rien, dit-il, ne vous énervez pas.

Murdoch tourna lentement son regard vers Duncan.

— Vous êtes toujours là, marmonna-t-il.

Duncan sentit la vieille ironie familière dans le ton du vieux docteur et eut envie de crier de joie.

— Je crois que je me suis assez reposé. Ouvrez donc ces volets et laissez-moi voir la lumière.

Duncan se précipita vers la fenêtre et l'infirmière, pour ne pas être en reste, apporta à Murdoch une tasse de lait.

— Qu'est-ce que ce breuvage? Vous pourriez tout de même me donner une bonne tasse de thé bien fort.

— Oui, oui, bien entendu. Je vous apporte ça tout de suite.

Duncan saisit ce prétexte pour quitter la chambre. Il ne pouvait plus supporter ce bonheur extatique. Murdoch, son cher vieil ami, sauvé de la mort!

Sur le palier, il s'arrêta un moment pour

reprendre son sang-froid avant de dévaler les escaliers quatre à quatre.

— Jeanne! appela-t-il, votre père va mieux! Jeanne! Jeanne!

Il crut qu'elle était dans le jardin et se précipita au-dehors en manches de chemise.

Elle n'était pas là non plus, mais devant la maison se tenait l'habituel petit groupe qui se réunissait là tous les après-midi : le bedeau, le facteur, le fermier Blair et une douzaine d'autres notables de la localité. Ils se turent subitement en voyant Duncan venir à eux.

— Murdoch, s'écria le bedeau d'une voix tremblante, il est mort?

— Mais non, mais non. Il est sauvé, au contraire!

Ils le regardèrent en silence pendant quelques instants.

— Voulez-vous... vous le pensez vraiment, docteur? demanda enfin le bedeau.

— Si je le pense! Mais il est sorti du coma. Il y a une minute, il m'a parlé, il m'a demandé du thé fort!

Des cris s'élevèrent. S'avançant, le bedeau saisit la main de Duncan dans la sienne et la serra de toutes ses forces. Puis il se retourna vers ses compagnons :

— Robert, cours annoncer la nouvelle. Dis à Hamish de sonner les cloches. Cours, mon garçon, cours. Quant à nous (*ses yeux humides parcoururent le groupe*), rendons grâce au Seigneur!

Leur hymne résonnait encore aux oreilles de Duncan quand il revint en courant dans la maison. En passant la porte, les cloches se mirent à sonner, portant la bonne nouvelle à tout le village et à toute la vallée.

— Jeanne! appela-t-il encore en traversant le vestibule. Jeanne! Jeanne!

Elle sortit de la chambre de son père et ferma la porte, son pâle visage transfiguré de joie. Il se précipita vers elle, mais, avant qu'il ait pu l'atteindre, elle s'était évanouie.

Les douze jours qui suivirent apportèrent de grands changements dans la maison du docteur. Les fenêtres et les portes étaient grandes ouvertes au soleil d'un précoce printemps. Les poussins se bousculaient dans la cour derrière la maison; le jardin s'était paré de tendres couleurs vertes et la forte voix de Retta, chantant une ronde gaélique, parvenait du lavoir. Dans la cuisine, Jeanne s'occupait activement aux confitures. Il n'y avait rien que Murdoch goûtait autant que les conserves faites à la maison.

Elle était absorbée à couper les oranges en tranches et à les jeter, saupoudrées de sucre, dans le grand chaudron de cuivre. Son visage était grave encore, mais on pouvait y lire une expression heureuse.

Soudain, on frappa à la porte. Tout d'abord, elle pensa que c'était son père qui frappait au plancher de sa chambre pour l'appeler. Murdoch était maintenant en pleine convalescence et il avait convenu de ce signal pour avertir sa fille qu'il avait besoin de quelque chose. Ce n'était pas Murdoch cependant, mais quelqu'un à la porte d'entrée. Elle alla ouvrir sans même prendre le temps de défaire son tablier et se trouva face à face avec le jeune Aigle.

— Alex! s'exclama-t-elle, vous êtes de retour!

— Jeanne! (*Il prit ses mains dans les siennes et les tint serrées comme s'il ne voulait plus jamais les lâcher.*) Je suis rentré ce matin. Je viens d'apprendre les malheurs que vous avez eus et, depuis, j'ai cru que je n'arriverais jamais assez vite chez vous.

— C'est bien de vous, Alex! (*Elle sourit.*) Comme vous avez bonne mine! Vous êtes tout hâlé. Vous avez tout à fait pris le genre américain.

Il la considéra soucieusement.

— Je n'en dirai pas autant de vous, Jeanne. Vous avez maigri et vous êtes pâle, mais vous êtes plus jolie que jamais.

— Je vais très bien. (*Elle se mit à rire de sa sollicitude.*) Qu'auriez-vous dit si vous m'aviez vue il y a quinze jours? Mais... (*Elle se dégagea.*) Ma marmelade va brûler si je ne vais pas la surveiller. Montez donc voir père. Vous me trouverez dans la cuisine quand vous redescendrez.

Tandis qu'il escaladait les marches deux par deux, elle retourna à ses confitures. De temps en temps, elle entendait les deux voix. Au bout d'une demi-heure, Alex redescendit.

— Ma parole! déclara-t-il, il est extraordinaire! Jamais je n'ai pensé que je le trouverais en aussi bonne forme.

Il s'assit près de la table et observa Jeanne, occupée à tourner la marmelade.

— Il me semble que vous devez beaucoup au docteur Stirling.

— En effet, répondit-elle d'une voix calme.

— D'après ce que j'ai entendu, poursuivit-il avec difficulté, Stirling est resté ici un long moment et a pour ainsi dire sauvé la vie de votre père en sacrifiant le poste de directeur de la Fondation Wallace, auquel il était sur le point d'être nommé à Edimbourg. A propos, qui a été nommé?

— Je ne sais pas. Cela n'a pas encore été rendu public. Mais rappelez-vous que le docteur Stirling a fait ce sacrifice malgré moi.

— C'est un type très bien. (*Alex fronça les sourcils.*) Mais un peu bizarre...

— Ne le sommes-nous pas tous un peu, Alex?

— Quand part-il?

— Bientôt, je crois. (*Elle baissa les yeux.*) Voyez-vous, il sait que papa ne pourra plus jamais travailler dur et il attend que nous ayons pris des dispositions pour l'avenir.

Aigle se leva et s'approcha d'elle :

— Jeanne! Ma chérie! Laissez-moi prendre ces dispositions pour vous. C'est pour cela que je me suis tant hâté de venir vous voir. (*Sa voix se fit plus grave.*) Laissez-moi prendre soin de votre père et de vous-même. Épousez-moi, Jeanne. Vous le savez, je vous l'ai dit un millier de fois, je vous aime tant!

Elle resta immobile un si long moment qu'il crut l'avoir touchée et convaincue. Mais elle hocha la tête, arrêtant ses protestations par son calme. Pour Jeanne, Alex n'était qu'un jeune homme — jeune, trop jeune pour elle — non dépourvu d'intelligence, mais sans originalité, sans grande personnalité.

— Je suis désolée, Alex. J'ai énormément d'affection pour vous. Vous et Sir John, vous avez été si bons pour nous, vous avez été merveilleux. Si seulement je pouvais vous aimer d'amour! (*Ses yeux étaient pleins de trouble quand elle les tourna vers lui.*) Mais je ne vous aime pas, Alex, il vaut mieux que vous le sachiez. Je suis désolée, mon cher Alex.

Elle vit le désespoir marqué sur son visage, mais, dans l'affection apitoyée qu'elle lui portait, elle ne put s'empêcher de penser que bientôt il serait consolé.

— Courage, Alex! (*Elle frappa sa main d'une petite tape maternelle.*) Nous en rirons tous deux dans six semaines.

— Six années me paraissent plus probables.

Alex resta encore quelques minutes. Puis, cette concession aux conventions accomplie, il lui serra la main et la quitta précipitamment après un dernier sourire embarrassé.

Quelques instants plus tard, la porte s'ouvrit à nouveau. Jeanne leva les yeux, pensant que c'était Alex qui était revenu. Mais c'était Duncan, de retour après sa tournée de visites quotidiennes. Il paraissait plus âgé en quelque sorte à présent, droit et sévère, avec une assurance nouvelle.

Il la regarda intensément.

— J'ai vu partir le jeune Aigle. D'après la vitesse à laquelle il roulait, on aurait dit qu'on venait de lui ouvrir le paradis.

Elle rougit douloureusement jusqu'à la racine des cheveux en voyant qu'il avait si mal interprété la hâte de son soupirant. La sensation de son visage brûlant la mit en fureur contre elle-même et augmenta à un tel point sa confusion qu'elle ne put articuler une parole. Il lui jeta à nouveau un regard, de plus en plus persuadé qu'il avait deviné juste.

« Voilà, c'est fait maintenant », pensa-t-il.

— Il y a quelque chose dont je voudrais vous parler, dit-il. C'est au sujet des malades. Si cela n'ennuyait pas votre père et s'il le désire, je serais heureux de me charger d'eux. Je ferais toutes les consultations, bien entendu, et il pourrait m'aider de ses conseils. Quant à l'argent, ceci n'a pas beaucoup d'importance pour moi. Tout ce que vous proposerez me conviendra.

Elle était trop surprise pour répondre. Voyant son expression fermée, elle pensa : « Je l'aime de toutes mes forces et pourtant je pourrais le craindre. » Elle se sentait mal à l'aise, envahie d'un sentiment de culpabilité.

— Si ce n'était à cause de nous, dit-elle, vous seriez encore à Edimbourg, sur le chemin de la célébrité. C'est notre faute, ma faute, si vous avez perdu ce poste à la Fondation Wallace. Et maintenant, vous proposez encore de nous aider par pitié, par charité!

— Vous vous trompez complètement. Hier encore, la Commission m'a offert le poste de directeur et j'ai refusé.

Il sortit une lettre de sa poche et la lui tendit. C'était une lettre officielle lui offrant de devenir le principal de la Fondation.

Elle murmura :

— Mais alors, ils savaient pourquoi vous restiez ici? Oh! c'est merveilleux!

Il reprit la lettre et la jeta dans le feu.

— Peut-être, dit-il avec calme, mais pas pour moi.

— Duncan! Que voulez-vous dire?

— Vous dites que ces dernières semaines ont gâché ma vie. C'est faux. Au contraire, elles lui ont redonné un nouveau sens, elles m'ont clairement montré le chemin que je devais suivre. (*Il prit une longue aspiration.*) Depuis que j'ai passé mes examens, en exceptant le mois que j'ai passé ici, il y a deux ans, j'ai été désorienté. J'avançais dans un tunnel obscur, poussé par une ambition qui n'était pas la mienne. J'ai été pris au piège, pris dans l'engrenage, infidèle à moi-même. J'ai trop voulu faire comme les autres. Votre père avait entièrement raison, Jeanne. Qu'ai-je affaire de toutes ces éprouvettes, ces spectroscopes, ces électrocardiographes, ces galvanomètres, et tout le reste? Oh! bien sûr, ils ont leur utilité, bien qu'elle soit fort exagérée. Mais ma place n'est pas auprès de ces instruments. Je ne suis pas fait pour eux. Je veux soigner les gens et je sais que je suis fait pour les guérir. Je veux pénétrer dans leurs maisons et soulager leurs souffrances. (*Il s'arrêta un moment, puis poursuivit plus calmement.*) Quant à Strath Linton, j'aime cette région. Il y a des braves gens ici, je me sens proche d'eux. Et j'aime la vie au grand air. Ils peuvent garder leurs villes. Moi, tout ce que j'aime est ici.

— Alors, dit-elle timidement, vous allez rester ici?

— Oui. Et en m'y décidant, je paie une autre dette. Si je m'efface, le poste de directeur de la Fondation sera offert à Anna. Oui, bien qu'elle soit une femme, sa valeur et ses capacités ont été reconnues. Ce sera un grand bienfait pour la Fondation, et pour elle. (*Il hésita un moment.*) Cela me permettra de danser à votre mariage. Imbécile que je suis, je ne vous ai même pas félicitée. Alex est un garçon très sympathique. (*Il tenta de plaisanter.*) Quand vous serez Lady Aigle, vous ne daignerez plus abaisser vos regards sur le modeste médecin de la vallée.

Il se disposa à quitter la pièce.

— Je n'épouserai jamais Alex Aigle, jamais, jamais!

Elle éclata en sanglots.

Il s'arrêta brusquement.

— Pourquoi?

Maintenant, il fallait qu'il sache. Qu'importait le reste. Elle détourna les yeux.

— Parce que j'en aime un autre.

Durant un instant, il resta immobile. Puis, lentement, il s'approcha d'elle à pas incertains, un espoir insensé dans les yeux.

— Jeanne, vous ne voulez pas... vous ne voulez pas dire... moi?

Elle se tourna vers lui, des larmes glissant lentement le long de ses joues.

— Je vous aime depuis la première minute où je vous ai vu dehors, dans la pluie.

— Jeanne! s'écria-t-il, mon cher amour!

Ils étaient déjà dans les bras l'un de l'autre. Duncan murmura :

— Je n'ai jamais pensé avoir la moindre chance, Jeanne. Depuis des mois et des mois, mon amour pour vous est dans mon cœur, depuis que je me suis compris moi-même.

Elle leva la tête vers lui. Il l'embrassa et tout disparut autour d'eux. Le monde se rappela pourtant à eux sous forme de coups au plafond, de plus en plus forts et de plus en plus impatients.

— C'est père, murmura Jeanne. (*Elle sourit.*) Allons lui apprendre la nouvelle tous deux.

Un an plus tard, par un bel après-midi de juin, une agitation inhabituelle se déployait autour de la maison du docteur, à Strath Linton. Les fenêtres étincelantes étaient garnies de nouveaux rideaux, des géraniums écarlates fleurissaient les jardinières devant la porte d'entrée, précédée d'un paillasson flamboyant, et la maison tout entière exhalait des odeurs alléchantes de gâteaux cuits au four, de rôtis et de tartes aux groseilles. A chaque coin, des pas retentissaient.

Dans le jardin, deux personnes, assises de chaque côté du perron dans de confortables fauteuils — position susceptible de leur permettre une vue générale sur la grande rue — semblaient parfaitement calmes et à leur aise. L'une d'elles était Murdoch, vêtu avec soin, les cheveux tout blancs à présent, mais le teint frais et hâlé. La femme, sévère et droite dans sa plus belle robe noire, le chapeau sur la tête et le parapluie à son côté, ses traits imposants détendus dans un sourire, c'était Martha en personne, la mère de Duncan.

Elle restait assise là, contemplant autour d'elle le riant paysage, les montagnes au loin, la vallée et la rivière et le village tout près d'elle. Elle essaya de cacher sa nervosité et remarqua :

— J'étais en train de penser que c'était un bien beau jour pour un baptême.

Le vieux docteur avait déjà eu l'occasion de se rendre compte de la joie qu'il ressentait à la contredire.

— Il pleuvra avant ce soir.

— Non, il ne pleuvra pas, riposta-t-elle, pas le jour du baptême de mon petit-fils.

— *Votre* petit-fils, vraiment. (*Il feignit de rire.*) N'ai-je donc aucun droit dans cette affaire? Ce marmot est mon image crachée.

— Que Dieu nous en préserve! s'exclama-t-elle pieusement. Je ne souhaiterais pareil malheur à aucun bébé. Laissez donc tranquille le premier-né de mon fils. Mais non, mais non, c'est un beau petit gars. Il a la même couleur d'yeux que moi et il a le nez des Stirling.

Murdoch faillit étouffer de rage.

— Inutile de vous mettre en colère après moi, femme. Je ne vous crains pas, je ne suis pas comme votre pauvre Duncan, que vous avez rejeté pendant tant d'années.

Son visage s'adoucit.

— C'est une vieille histoire. Il m'avait désobéi, vous le savez.

— Eh bien! N'avait-il pas raison de le faire?

Elle secoua la tête avec obstination.

— Il aurait pu mieux faire encore s'il avait suivi mes conseils. Mais à présent, je suis prête à lui pardonner. Je m'y suis décidée ce matin, pour l'amour du petit. Puis-je dire mieux?

— Dire mieux? (*Il éclata de rire.*) Que Dieu nous vienne en aide, bonne femme, vous êtes vraiment généreuse! Si j'étais Duncan, je vous dirais de retourner d'où vous venez. Et quand il saura que vous êtes là, il n'est pas dit qu'il ne le fera pas.

Ces paroles rassurantes ne cessèrent que quand le Grand Tom, vêtu d'une jaquette bien trop large pour ses maigres épaules, arriva en flânant dans le jardin.

Martha regarda son époux :

— Tu sais que tu ne dois pas boire au baptême, dit-elle sévèrement, pas une seule goutte.

Le Grand Tom agita fièrement la chaîne d'or qui était attachée à sa belle montre neuve dans la poche de son gilet. Duncan n'avait jamais oublié que son père lui avait donné sa montre quand, tant d'années auparavant, il avait risqué la grande aventure, et son premier cadeau à son père avait été une montre en or.

— Rien de plus fort que de l'eau, promit-il.

— A part le champagne, suggéra Murdoch. A nous deux, nous partagerons la bouteille, Tom. Vous verrez, c'est à peine plus fort que la bière.

Un bruit de pas interrompit toute nouvelle argumentation. Jeanne était derrière eux, souriante, le bébé revêtu de sa longue robe de baptême dans ses bras.

— Eh bien, vrai! dit la vieille femme avec un sourire fier, c'est un bébé magnifique!

— Ce sera peut-être la seule chose sur laquelle nous serons d'accord, murmura le Grand Tom à mi-voix.

— Mon Dieu! (*Jeanne se retourna vers la rue.*) Voici nos invités, et Duncan qui n'est pas à la maison!

Les deux premiers invités arrivèrent à pas lents; c'étaient le maire et le bedeau, tous deux vêtus de leurs plus beaux habits du dimanche. Derrière eux, on apercevait le facteur, Miss Bell, les Mc Kelvie, Reid et le pasteur. Bientôt, le jardinet fut plein de monde.

Le maire se mit à tousser pour rompre le silence un peu gêné qui s'était établi.

— Mauvaise toux que vous avez là, maire, remarqua Murdoch d'un ton professionnel. Je vous ferai une petite ordonnance pour ça.

— Ne vous dérangez pas, répondit étourdiment le maire. Après la cérémonie, j'irai voir le docteur.

— Quoi! rugit Murdoch. (*Tout le monde éclata de rire.*) Et où est ce fameux docteur dont vous me parlez? Ne peut-il même pas être chez lui le jour du baptême de son fils?

— Il a eu une tournée particulièrement longue aujourd'hui, intervint Jeanne.

Juste à ce moment, ils entendirent le bruit d'un moteur et la voiture de Duncan s'arrêta devant la porte. Le jeune docteur, suivi par Hamish, sauta à terre, et son visage se détendit à la vue de ses invités, de sa femme, de son fils nouveau-né. En une seule année, le travail avait apposé son empreinte sur lui. Ses traits décidés et fermes exprimaient une humanité, une bonté profonde. Le grand air avait bruni son visage maintenant plein de santé. Même son corps, dans son costume de sport en tweed, s'était musclé, redressé.

Il s'approcha du groupe et sourit avec sérénité à ses invités, le sourire serein et heureux de l'homme qui a trouvé sa voie. Il ne vit pas sa mère, car, prise d'une nervosité soudaine, elle s'était dissimulée derrière les autres.

— Je suis désolé d'être en retard. Une appendicite urgente à Rossdhu. (*Il jeta un coup d'œil à sa femme.*) Et j'ai été arrêté en chemin.

Il tendit à Jeanne un télégramme décacheté. Elle le lut à haute voix :

Suis en esprit avec vous aujourd'hui. Que le diable vous emporte, c'est vous qui aviez raison. Embrassez le bébé de la part de son vieux fossile de tante. Affection à Jeanne et une poignée de main pour vous-même de la part du principal, bien fatigué, de la Fondation Wallace. Signé : *Anna Geisler.*

Un regard de parfaite entente passa entre Duncan et Jeanne. Puis elle lui dit doucement :

— Il y a encore quelqu'un ici que tu n'as pas vu.

Se retournant, elle saisit la main de Martha et la poussa en avant.

— Mère!

Pendant un moment, ils se firent face; puis elle détourna la tête, honteuse.

— J'ai pensé qu'il fallait que je vienne. Mais je n'ai pas déballé mes affaires et, si on ne veut pas de moi, je rentrerai à la maison.

Murdoch se moucha le nez et, avec tact, saisit le bras du Grand Tom et entraîna les invités à l'intérieur de la maison.

Duncan resta seul avec sa mère et Jeanne.

— Je dois dire (*la vieille femme luttait contre son émotion*) que je suis bien heureuse de voir que tu es heureux et aimé de ta femme et de tous.

Il s'avança et la prit dans ses bras.

— Mère, nous sommes tous heureux de t'avoir avec nous!

Martha, refoulant ses larmes, tenta de dire quelque chose, mais elle ne le put. Pour la première fois depuis des années, elle se mit à pleurer.

— Mon cher enfant, peut-être avions-nous raison tous deux, concéda-t-elle, séchant ses yeux. Puis-je entrer et tenir le bébé?

Duncan, le cœur empli de bonheur, l'embrassa et, d'un bras entourant les épaules de sa mère et de l'autre la taille de sa femme, il les entraîna dans la maison.

ŒUVRES DE A. J. CRONIN

Aux Éditions Albin Michel :

SOUS LE REGARD DES ÉTOILES, roman.
AUX CANARIES, roman.
LA CITADELLE, roman.
LE CHAPELIER ET SON CHATEAU, roman.
TROIS AMOURS, roman.
LE DESTIN DE ROBERT SHANNON, roman.
LES HOMMES PROPOSENT..., pièce en trois actes.
LE JARDINIER ESPAGNOL, roman.
SUR LES CHEMINS DE MA VIE, autobiographie.
L'ÉPÉE DE JUSTICE, roman.
LA TOMBE DU CROISÉ, roman.
LES ANNÉES D'ILLUSION, roman.
LES CLÉS DU ROYAUME, roman.
LA LUMIÈRE DU NORD, roman.
LA DAME AUX ŒILLETS, roman.
DEUX SŒURS, roman.
ÉTRANGERS AU PARADIS, roman.
L'ARBRE DE JUDAS, roman.
LE SIGNE DU CADUCÉE, roman.
LES VERTES ANNÉES, roman.
KALÉIDOSCOPE.
CONFIDENCES D'UNE TROUSSE NOIRE.
NOUVELLES CONFIDENCES D'UNE TROUSSE NOIRE.
LE CHANT DU PARADIS.

IMPRIMÉ EN FRANCE PAR BRODARD ET TAUPIN
7, bd Romain-Rolland - Montrouge - Usine de La Flèche.
LE LIVRE DE POCHE - 12, rue François Ier - Paris.
ISBN : 2 - 253 - 00616 - 5

Le Livre de Poche classique

Des textes intégraux.
Des éditions fidèles et sûres.
Des commentaires établis par les meilleurs spécialistes.

Pour le grand public. La lecture des grandes œuvres rendue facile grâce à des commentaires et à des notes.

Pour l'étudiant. Des livres de référence d'une conception attrayante et d'un prix accessible.

Akutagawa.
Rashômon et autres contes, 2561/6**.

Aristophane.
Comédies (Les Oiseaux - Lysistrata - Les Thesmophories - Les Grenouilles - L'Assemblée des Femmes - Plutus), 2018/7**.

Balzac.
La Duchesse de Langeais suivi de *La Fille aux Yeux d'or*, 356/3**.
La Rabouilleuse, 543/6**.
Une Ténébreuse Affaire, 611/1**.
Les Chouans, 705/1**.
Le Père Goriot, 757/2**.
Illusions perdues, 862/0***.
La Cousine Bette, 952/9***.
Le Cousin Pons, 989/1**.
Le Colonel Chabert suivi de *Ferragus chef des Dévorants*, 1140/0**.
Eugénie Grandet, 1414/9**.
Le Lys dans la Vallée, 1461/0***.
Le Curé de village, 1563/3**.
César Birotteau, 1605/2**.
La Peau de Chagrin, 1701/9**.
Le Médecin de campagne suivi de *La Confession*, 1997/3**.
Modeste Mignon, 2238/1**.
Honorine suivi de *Albert Savarus* et de *La Fausse Maîtresse*, 2339/7**.
Louis Lambert suivi de *Les Proscrits* et de *J.-C. en Flandre*, 2374/4**.
Ursule Mirouët, 2449/4**.
Gobseck suivi de *Maître Cornélius* et de *Facino Cane*, 2490/8*.
Mémoires de deux jeunes mariées, 2545/9**.
Une Fille d'Eve suivi de *La Muse du département*, 2571/5**.
Un début dans la vie suivi de *Un Prince de la Bohême* et de *Un Homme d'affaires*, 2617/6**.
Les Employés, 2666/3**.
Le Chef-d'œuvre inconnu suivi de *Pierre Grassou*, de *Sarrasine*, de *Gambara* et de *Massimila Doni*, 2803/2**.
La Maison du Chat-qui-pelote suivi de *La Vendetta*, de *La Bourse* et de *Le Bal de Sceaux*, 2851/1**.
L'Illustre Gaudissart suivi de *5 Etudes*, 2863/6**.
Physiologie du mariage, 3254/7**.
Etudes de femmes, 3210/9**.

Barbey d'Aurevilly.
Un Prêtre marié, 2688/7**

Baudelaire.
Les Fleurs du Mal, 677/2**.
Le Spleen de Paris, 1179/8**.
Les Paradis artificiels, 1326/5**.
Ecrits sur l'Art, t. 1, 3135/8** ; t. 2, 3136/6**.
Mon cœur mis à nu, Fusées, Pensées éparses, 3402/2**.

Bernardin de Saint-Pierre.
Paul et Virginie, 4166/2****.

Boccace.
Le Décaméron, 3848/6****.

Casanova.
Mémoires, t. 1, 2228/2** ; t. 2, 2237/3** ; t. 3, 2244/9** ; t. 4, 2340/5** ; t. 5, 2389/2**.

Chamfort.
Maximes et Pensées suivi de *Caractères et Anecdotes*, 2782/8**.

Chateaubriand.
Mémoires d'Outre-Tombe, t. 1, 1327/3**** ; t. 2, 1353/9**** ; t. 3, 1356/2****.

Constant (Benjamin).
Adolphe suivi de *Le Cahier rouge* et de *Poèmes*, 360/5**.

Corneille.
Théâtre (Nicomède - Sertorius - Agésilas - Attila, roi des Huns - Tite et Bérénice - Suréna, général des Parthes), 1603/7**.

Descartes.
Discours de la Méthode, 2593/9*.

Dickens.
De Grandes Espérances, 420/7****.

Diderot.
Jacques le Fataliste, 403/3**.
Le Neveu de Rameau suivi de *8 Contes et Dialogues*, 1653/2***.
La Religieuse, 2077/3**.
Les Bijoux indiscrets, 3443/6**.

Dostoïevski.
L'Eternel Mari, 353/0**.
Le Joueur, 388/6**.
Les Possédés, 695/4****.
Les Frères Karamazov, t. 1, 825/7*** ; t. 2, 836/4***.
L'Idiot, t. 1, 941/2*** ; t. 2, 943/8***.
Crime et Châtiment, t. 1, 1289/5** ; t. 2, 1291/1**
Humiliés et Offensés, t. 1, 2476/7** ; t. 2, 2508/7**.
Les Nuits blanches suivi de *Le Sous-sol*, 2628/3**.

Dumas (Alexandre).
Les Trois Mousquetaires, 667/3****.
Joseph Balsamo, t. 3, 2149/0** ; t. 4, 2150/8**.
Le Collier de la Reine, t. 2, 2361/1** ; t. 3, 2497/3**.
Ange Pitou, t. 1, 2608/5** ; t. 2, 2609/3**.
Le Comte de Monte-Cristo, t. 1, 1119/4*** ; t. 2, 1134/3*** ; t. 3, 1155/8***.
Les Mohicans de Paris, 3728/0****.

Euripide.
Tragédies, t. 1, 2450/2** ; t. 2, 2755/4**.

Flaubert.
Madame Bovary, 713/5***.
L'Education sentimentale, 1499/0***.
Trois Contes, 1958/5*.
La Tentation de saint Antoine, 3238/0**.

Fromentin.
Dominique, 1981/7**.

Gobineau.
Adélaïde suivi de *Mademoiselle Irnois*, 469/4*.
Les Pléiades, 555/0**.

Goethe.
Les Souffrances du Jeune Werther suivi de *Lettres de Suisse*, 412/4**.

Gogol.
Les Nouvelles ukrainiennes, 2656/4**.

Gorki.
En gagnant mon pain, 4041/7***.

Hoffmann.
Contes, 2435/3**.

Homère.
Odyssée, 602/0***.
Iliade, 1063/4***.

Hugo.
Les Misérables, t. 1, 964/4*** ; t. 2, 966/9*** ; t. 3, 968/5***.
Les Châtiments, 1378/6***.
Les Contemplations, 1444/6***.
Notre-Dame de Paris, 1698/7***.
Les Orientales suivi de *Les Feuilles d'automne*, 1969/2**.
La Légende des Siècles, t. 2, 2330/6**.
Odes et Ballades, 2595/4**.
Les Chants du Crépuscule suivi de *Les Voix intérieures* et de *Les Rayons et les Ombres*, 2766/1**.
Bug-Jargal suivi de *Le Dernier Jour d'un Condamné*, 2819/8**.

Labiche.
Théâtre (La Cagnotte - Les Deux Timides - Célimare le bien-aimé), 2841/2**.

La Bruyère.
Les Caractères, 1478/4***.

Laclos (Choderlos de).
Les Liaisons dangereuses, 354/8***.

La Fayette (Mme de).
La Princesse de Clèves, 374/6**.

La Fontaine.
Fables, 1198/8**.

Laforgue (Jules).
Poésies complètes, 2109/4***.

Lamartine.
Méditations suivi de *Nouvelles Méditations*, 2537/6**.

Lautréamont.
Les Chants de Maldoror, 1117/8**.
Machiavel.
Le Prince, 879/4**.
Mallarmé.
Poésies, 4994/7***.
Marivaux.
Théâtre (Le Triomphe de l'Amour - L'Ecole des mères - Le Petit Maître corrigé - La Mère confidente - Le Legs - Les Fausses Confidences - L'Epreuve - La Dispute - Le Préjugé vaincu), 2120/1**.
Marx et **Engels.**
Le Manifeste du Parti Communiste suivi de *Critique du Programme de Gotha*, 3462/6*.
Mérimée.
Colomba et Autres Nouvelles, 1217/6**.
Carmen et Autres Nouvelles, 1480/0**.
Chronique du Règne de Charles IX, 2630/9**.
Montaigne.
Essais, t. 1, 1393/5*** ; t. 2, 1395/0*** ; t. 3, 1397/6***.
Journal de voyage en Italie, 3957/5****.
Montesquieu.
Lettres persanes, 1665/6**.
Musset.
Théâtre (On ne saurait penser à tout - Carmosine - Bettine - Pièces posthumes - Fragments - Ecrits sur le théâtre), 1431/3**.
Nerval.
Aurélia suivi de *Lettres à Jenny Colon*, de *La Pandora* et de *Les Chimères*, 690/5**.
Les Filles du feu suivi de *Petits Châteaux de Bohême*, 1226/7**.
Nietzsche.
Ainsi parlait Zarathoustra, 987/5***.
Ovide.
L'Art d'aimer, 1005/5*.
Pascal.
Pensées, 823/2***.
Pétrone.
Le Satiricon, 589/9**.
Poe.
Histoires extraordinaires, 604/6**.
Nouvelles Histoires extraordinaires, 1055/0**.
Histoires grotesques et sérieuses, 2173/0**.
Prévost (Abbé).
Manon Lescaut, 460/3**.
Rabelais.
Pantagruel, 1240/8**.
Gargantua, 1589/8**.
Le Quart Livre, 2247/2***.
Le Cinquième Livre et Œuvres diverses, 2489/0***.
Retz (Cardinal de).
Mémoires, t. 1, 1585/6** ; t. 2, 1587/2**.
Rimbaud.
Poésies, 498/3**.
Rousseau.
Les Confessions, t. 1, 1098/0*** ; t. 2, 1100/4***.
Les Rêveries du Promeneur solitaire, 1516/1**.
Sacher-Masoch.
La Vénus à la fourrure et autres nouvelles, 4201/7****.
Sade.
Les Crimes de l'amour, 3413/9**.
Justine ou les malheurs de la Vertu, 3714/0***.
La Marquise de Gange, 3959/1**.
Aline et Valcour, 4757/8****.
Sand (George).
La Petite Fadette, 3550/8**.
La Mare au diable, 3551/6**.
François le Champi, 4771/9**.
Shakespeare.
Roméo et Juliette suivi de *Le Songe d'une nuit d'été*, 1066/7**.
Hamlet - Othello - Macbeth, 1265/5**.
Le Songe d'une nuit d'été suivi de *Cymbeline* et de *La Tempête*, 3224/0**.
Stendhal.
Le Rouge et le Noir, 357/1***.
La Chartreuse de Parme, 851/3***.
Romans et Nouvelles, 2421/3**.
Stevenson.
L'Ile au trésor, 756/4**.
Suétone.
Vies des douze Césars, 718/4***.
Tchékhov.
L'Oncle Vania suivi de *Les Trois Sœurs*, 1448/7**.
Ce Fou de Platonov suivi de *Le Sauvage*, 2162/3**.
La Steppe suivi de *Salle 6*, de

La Dame au petit chien et de *L'Evêque*, 2818/0**.
Le Duel suivi de *Lueurs*, de *Une banale histoire* et de *La Fiancée*, 3275/2***.

Thucydide.
La Guerre du Péloponnèse, t. 1, 1722/5** ; t. 2, 1723/3**.

Tolstoï.
La Sonate à Kreutzer, 366/2*.
Anna Karénine, t. 1, 636/8*** ; t. 2, 638/4***.
Enfance et Adolescence, 727/5**.
Guerre et Paix, t. 1, 1016/2**** ; t. 2, 1019/6****.
Nouvelles, 2187/0**.
Résurrection, t. 1, 2403/1** ; t. 2, 2404/9**.
Récits, 2853/7**.
Jeunesse suivi de *Souvenirs*, 3155/6**.
La Mort d'Ivan Illitch, suivi de *Maître et Serviteur* et de *Trois Morts*, 3958/3**.

Tourgueniev.
Premier Amour suivi de *L'Auberge de Grand Chemin* et de *L'Antchar*, 497/5**.
Mémoires d'un Chasseur, 2744/8***.
Eaux printanières, 3504/5**.

Vallès (Jules).
JACQUES VINGTRAS :
1. *L'Enfant*, 1038/6**.
2. *Le Bachelier*, 1200/2**.
3. *L'Insurgé*, 1244/0**.

Vauvenargues.
Réflexions et Maximes, 3154/9**.

Verlaine.
Poèmes saturniens suivi de *Fêtes galantes*, 747/3*.
La Bonne Chanson suivi de *Romances sans paroles* et de *Sagesse*, 1116/0*.
Jadis et Naguère suivi de *Parallèlement*, 1154/1*.
Mes Prisons et autres textes autobiographiques, 3503/7***.

Vigny.
Cinq-Mars, 2832/1***.

Villon.
Poésies complètes, 1216/8**.

Virgile.
L'Enéide, 1497/4***.

Voltaire.
Romans, Contes et Mélanges, t. 1, 657/4*** ; t. 2, 658/2***.

XXX.
Tristan et Iseult, 1306/7**.

Le Livre de Poche policier

Alexandre (P.) et **Maïer (M.).**
Genève vaut bien une messe, 3389/1**.

Alexandre (P.) et **Roland (M.).**
Voir Londres et mourir, 2111/0*.

Andreota (Paul).
Zigzags, 4940/0**.

Behn (Noël).
Une lettre pour le Kremlin, 3240/6**.

Boileau-Narcejac.
Arsène Lupin : Le Secret d'Eunerville, 4093/7**.
Opération Primevère, 4812/1**.

Bommart (Jean).
Bataille pour Arkhangelsk, 2792/7*.
Le Poisson chinois a tué Hitler, 3332/1*.
La Dame de Valparaiso, 3429/5**.
Le Poisson chinois et l'homme sans nom, 3946/8*.
Monsieur Scrupule gangster, 4209/0**.

Breslin (Jimmy).
Le Gang des cafouilleux, 3491/5**.

Buchan (John).
Le Camp du matin, 3212/5***.

Calef (Noël).
Ascenseur pour l'échafaud, 1415/6**.

Carr (J. Dickson).
La Chambre ardente, 930/5*.

Charteris (Leslie).
Le Saint à New York, 2190/4*.
Ici, le Saint !, 3156/4*.
Les Compagnons du Saint, 3211/7*.
Le Saint contre Teal, 3255/4*.
La Marque du Saint, 3287/7*.
Le Saint s'en va-t-en guerre, 3318/0*.
Le Saint contre Monsieur Z, 3348/7*.
En suivant le Saint, 3390/9*.
Le Saint contre le marché noir, 3415/4*.
Le Saint joue et gagne, 3463/4*.
Mais le Saint troubla la fête, 3505/2*.
Le Saint au Far-West, 3553/2*.
Le Saint, Cookie et Cie, 3582/1*.
Le Saint ramène un héritier, 3836/1*.
Quand le Saint s'en mêle, 3895/7*.
La Loi du Saint, 3945/0*.
Le Saint ne veut pas chanter, 3973/2**.
Le Saint et le canard boiteux, 4023/5**.
Le Saint et la Veuve noire, 4118/3**.
Les Anges appellent le Saint, 4164/7**.
Le Saint parie sur la mort, 4183/7*.
Le Saint se bat contre un fantôme, 4188/6*.
Le Saint refuse une couronne, 4208/2*.
Le Saint découvre le virus 13, 4715/6*.
Le Saint à Miami, 4740/4**.
Le Saint joue avec le feu, 4789/1**.
Le Saint et le perroquet vert, 4924/4*.
Le Saint au carnaval de Rio, 4849/3**.

Christie (Agatha).
Le Meurtre de Roger Ackroyd, 617/8**.
Dix Petits Nègres, 954/5**.
Le Vallon, 1464/4**.
Le Crime de l'Orient-Express, 1607/8**.
A. B. C. contre Poirot, 1703/5**.
Cartes sur table, 1999/9**.
Meurtre en Mésopotamie, 4716/4**.
Cinq Petits Cochons, 4800/6**.
La Mystérieuse affaire de Styles, 4905/3**.

Conan Doyle (Sir Arthur).
Sherlock Holmes : Etude en Rouge suivi de *Le Signe des Quatre*, 885/1***

Les Aventures de Sherlock Holmes, 1070/9***.
Souvenirs de Sherlock Holmes, 1238/2***.
Résurrection de Sherlock Holmes, 1322/4***.
La Vallée de la peur, 1433/9**.
Archives sur Sherlock Holmes, 1546/8***.
Le Chien des Baskerville, 1630/0*.
Son dernier coup d'archet, 2019/5*.

Conan Doyle (A.) et **Carr (J. D.).**
Les Exploits de Sherlock Holmes, 2423/9**.

Decrest (Jacques).
Les Trois jeunes filles de Vienne, 1466/9*.

Deighton (Len).
Ipcress, danger immédiat, 2202/7**.
Neige sous l'eau, 3566/4**.

Dominique (Antoine).
Trois Gorilles, 3181/2**.
Gorille sur champ d'azur, 3256/2**.

Exbrayat (Charles).
La Nuit de Santa Cruz, 1434/7**.
Olé !... Torero ! 1667/2*.
Vous manquez de tenue, Archibald ! 2377/7*.
Les Messieurs de Delft, 2478/3*.
Le dernier des salauds, 2575/6*.
Les Filles de Folignazzaro, 2658/0*.
Des Demoiselles imprudentes, 2805/7*.
Le Voyage inutile, 3225/7*.
Les Dames du Creusot, 3430/3*.
Mortimer !... comment osez-vous ?, 3533/4*.
Des filles si tranquilles, 3596/1*.
Il faut chanter, Isabelle, 3871/8*.
Le Clan Morembert, 4008/6*.
Pour ses beaux yeux, 4110/0**.
Vous souvenez-vous de Paco ? 4766/9**.
Une brune aux yeux bleus, 4810/5**.
Elle avait trop de mémoire, 4884/0*.

Goodis (David).
La Police est accusée, 4226/4*.

Hardwick (Michael et Mollie).
La Vie privée de Sherlock Holmes, 3896/5**.

Highsmith (Patricia).
L'Inconnu du Nord-Express, 849/7***.
Plein Soleil (Mr. Ripley), 1519/5**.
Le Meurtrier, 1705/0**.
Eaux profondes, 2231/6**.
L'Empreinte du faux, 3944/3***.
La Rançon du chien, 4119/1****.
Le Cri du hibou, 4706/5***.

Hitchcock (Alfred).
Histoires abominables, 1108/7***.
Histoires à ne pas lire la nuit, 1983/3**.
Histoires à faire peur, 2203/5**.

Irish (William).
Fenêtre sur cour, 4200/9**.
Divorce à l'américaine, 4841/0**.
New York blues, 4936/8**.

Leblanc (Maurice).
Arsène Lupin, gentleman cambrioleur, 843/0**.
Arsène Lupin contre Herlock Sholmes, 999/0**.
La Comtesse de Cagliostro, 1214/3**.
L'Aiguille creuse, 1352/1**.
Les Confidences d'Arsène Lupin, 1400/8**.
Le Bouchon de cristal, 1567/4**.
Huit cent treize (813), 1655/7****.
Les huit coups de l'horloge, 1971/8**.
La Demoiselle aux yeux verts, 2123/5*.
La Barre-y-va, 2272/0*.
Le Triangle d'Or, 2391/8**.
L'île aux trente cercueils, 2694/5**.
Les Dents du Tigre, 2695/2****.
La Demeure mystérieuse, 2732/3**.
L'Eclat d'obus, 2756/2**.
L'Agence Barnett et Cie, 2869/3*.
La Femme aux deux sourires, 3226/5**.
Victor, de la Brigade mondaine, 3278/6**.
La Cagliostro se venge, 3698/5**.

Leroux (Gaston).
Le Fantôme de l'Opéra, 509/7****.
Le Mystère de la Chambre Jaune, 547/7***.
Le Parfum de la Dame en noir, 587/3**.
Rouletabille chez le Tsar, 858/8***.
Le Fauteuil hanté, 1591/4*.

Le Château noir, 3506/0**.
Les Etranges Noces de Rouletabille, 3661/3**.
Rouletabille chez Krupp, 3914/6**.
Rouletabille chez les Bohémiens, 4184/5****.
Le Crime de Rouletabille, 4821/2**.
La Poupée sanglante,
t. 1 : 4726/3** ; t. 2 : *La Machine à assassiner*, 4727/1**.
LES AVENTURES DE CHERI-BIBI :
1. *Les Cages flottantes*, 4088/8***.
2. *Chéri-Bibi et Cécily*, 4089/6***.
3. *Palas et Chéri-Bibi*, 4090/4***.
4. *Fatalitas !* 4091/2***.
5. *Le coup d'Etat de Chéri-Bibi*, 4092/0***.

MacCoy (Horace).
Les Rangers du Ciel, 4099/5****.
Black mask stories, 4175/3**.

Macdonald (Ross).
L'Homme clandestin, 3516/9**.

Malet (Léo).
L'Envahissant Cadavre de la Plaine Monceau, 3110/1*.
M'as-tu vu en cadavre ? 3330/5*.
Pas de bavards à La Muette, 3391/7**.
Fièvre au Marais, 3414/7*.
La Nuit de Saint-Germain-des-Prés, 3567/2*.
Corrida aux Champs-Elysées, 3597/9*.
Boulevard... Ossements, 3645/6*.
Les Rats de Montsouris, 3850/2*.
Casse-pipe à la Nation, 3913/8**.
Les Eaux troubles de Javel, 4024/3**.
Micmac moche au Boul'Mich', 4176/1**.
Le Soleil naît derrière le Louvre, 4145/6*.
Des kilomètres de linceuls, 4751/1*.
Du rébecca rue des Rosiers, 4914/5**.

Monteilhet (Hubert).
Les Mantes religieuses, 4770/1*.

Nord (Pierre).
Double crime sur la ligne Maginot, 2134/2*.
Terre d'angoisse, 2405/6*.
L'Espion de la Première Paix mondiale, 3179/6**.
Le Guet-Apens d'Alger, 3303/2**.
L'Espion de Prague, 3532/6**.
Le Piège de Saigon, 3611/8**.
Espionnage à l'italienne, 3849/4**.
Le Kawass d'Ankara, 3992/2**.
Pas de scandale à l'O.N.U., 4218/1***.
Miss Péril jaune, 4790/9**.
Mystifications cubaines, 4152/2***.

Sayers (Dorothy).
Lord Peter et l'inconnu, 978/4*.
Les Pièces du dossier, 1668/0**.

Simmel (Johannès Mario).
On n'a pas toujours du caviar, 3362/8***.
La Haine c'est la mort, l'amour c'est la vie, 4979/8****.

Siodmak (Curt).
Le Cerveau du Nabab, 2710/9**.

Spillane (Mickey).
J'aurai ta peau, 3851/0**.
Pas de temps à perdre, 3853/6**.
Fallait pas commencer, 3854/4**.
Dans un fauteuil, 3855/1**.
Charmante soirée, 3856/9**
En quatrième vitesse, 3857/7**.
Nettoyage par le vide, 3858/5**.
Le Nouveau caïd, 4750/3**.
Le Serpent, 4801/4**.
Un tigre dans votre manche, 4937/6**.
L'Irlandais haut le pied, 4945/9*.

Steeman (S.-A.).
L'Assassin habite au 21, 1449/5*.
Quai des Orfèvres, 2151/6*.
L'Ennemi sans visage, 2697/8*.
Le Condamné meurt à cinq heures, 2820/6*.
Les Atouts de M. Wens. 2696/0*.
Poker d'enfer, 3403/0*.
Que personne ne sorte, 3552/4*.
Le Démon de Sainte-Croix, 3627/4**.
La Nuit du 12 au 13, 4234/8**.
Le Trajet de la foudre, 4741/2*.

Tanugi (Gilbert).
Le Canal rouge, 4840/2*.

Thomas (L.-C.).
Coup de sang, 4885/7*.

Vadim (Roger) présente :
Histoires de vampires, 3198/6**
Nouvelles Histoires de vampires, 3331/3**.

Viard (Henri).
La Bande à Bonape, 2857/8*.

Le Livre de Poche « Jules Verne »

Les œuvres de Jules Verne dans leur version intégrale avec toutes les **illustrations originales** de la collection Hetzel.

Le Tour du monde en 80 jours, 2025/2***.
De la Terre à la Lune, 2026/0***.
Robur le Conquérant, 2027/8**.
Cinq semaines en ballon, 2028/6***.
Voyage au centre de la Terre, 2029/4***.
Les Tribulations d'un Chinois en Chine, 2030/2***.
Le Château des Carpathes, 2031/0**.
Les 500 millions de la Bégum, 2032/8**.
Vingt mille lieues sous les mers, 2033/6****.
Michel Strogoff, 2034/4****.
Autour de la Lune, 2035/1***.
Les Enfants du capitaine Grant, t. I, 2036/9*** ; t. II, 2037/7***.
L'Ile mystérieuse, t. I, 2038/5*** ; t. II, 2039/3***.
L'Etoile du Sud, 2043/5***.
Les Indes noires, 2044/3**.
La Jangada, 2047/6***.
Le Pays des fourrures, 2048/4***.
Deux ans de vacances, 2049/2****.
Face au drapeau, 2050/0**.
Kéraban le Têtu, 2051/8***.
Hier et demain, 2052/6**.
La Chasse au météore, 2053/4***.
Mistress Branican, 2055/9***.
Un drame en Livonie, 2061/7**.
L'Archipel en feu, 2068/2***.

Pluriel

Cette nouvelle collection, consacrée aux essais et aux livres de « sciences humaines », offre une double originalité :

- elle est constituée à partir des fonds de nombreux éditeurs ;
- les textes proposés font l'objet d'une édition entièrement remise à jour, ils sont accompagnés d'une préface ou d'une postface, de notes et annexes facilitant la compréhension de la démarche de l'auteur et faisant le point des recherches dans le domaine étudié. Certains livres ou documents sont augmentés d'un véritable « dossier critique ».

Amalrik (Andreï).
L'Union Soviétique survivra-t-elle en 1984 ?, 8300/3 B.

Aron (Raymond).
Essai sur les libertés, 8301/1 A.
Plaidoyer pour l'Europe décadente, 8320/1 E.

Azéma (J.-P.) et **Winock (M.).**
La IIIe République, 8330/0 E.

Benda (Julien).
La Trahison des clercs, 8309/4 C.

Bettelheim (Bruno).
Le Cœur conscient, 8305/2 C.

Chevalier (Louis).
Classes laborieuses et Classes dangereuses, 8334/2 G.

Cocteau (Jean).
Portraits-souvenir, 8308/6 C.

Comte (Auguste).
Du pouvoir spirituel, 8328/4 E.

Delumeau (Jean).
Le Christianisme va-t-il mourir ? 8331/8 D.

Elias (Norbert).
La Civilisation des mœurs, 8312/8 E.

Ellul (Jacques).
L'Illusion politique, 8314/4 D.

Fejtö (François).
L'Héritage de Lénine, 8318/5 E.

Fiori (Giuseppe).
La Vie de Antonio Gramsci, 8319/3 E.

Girard (René).
Mensonge romantique et vérité romanesque, 8321/9 C.

Gorki (Maxime).
Pensées intempestives, 8311/0 D

Goubert (Pierre).
Louis XIV et vingt millions d Français, 8306/0 C.

Grosser (Alfred).
L'Allemagne de notre temps, 8329/2 G.

Halévy (Daniel).
Nietzsche, 8307/8 E.
Visites aux paysans du Centr 8325/0 D.

Jouvenel (Bertrand de).
Du Pouvoir, 8302/9 E.

Jünger (Ernst).
Chasses subtiles, 8316/9 C.

Kœstler (Arthur).
La Corde raide, 8327/6 E.
Hiéroglyphes, t. 1, 8332/6 E ; t. 2, 8333/4 E.

Lepage (Henri).
Demain le capitalisme, 8322/7

Mann (Thomas).
Wagner et notre temps, 8315/1

Robert (Marthe).
D'Œdipe à Moïse, 8323/5 C.

Rousseau (Jean-Jacques).
Du contrat social, 8326/8 D.

Ruyer (Raymond).
La Gnose de Princeton, 8303/7

Sauvy (Alfred).
L'Economie du diable, 8310/2

30/0198/9